Collection

malins plaisirs

Des livres qui mettent l'eau à la bouche!

Gouvernement du Québec – Programme de crédit d'impôt
pour l'édition de livres – Gestion Sodec

Soupes

83 recettes pour cuisiner des soupes et des potages savoureux!

Par Marie-Jo Gauthier

éditions les malins

Table des matières

Introduction

La collection Malins Plaisirs propose des livres de recettes
qui vous mettront l'eau à la bouche!
Des recettes originales à la portée de tous, de superbes
photos et des sujets variés : une collection parfaite pour
toutes les cuisines, et toutes les bouches!

Que ce soit comme entrée ou comme plat principal,
la soupe joue un rôle irremplaçable dans notre alimentation.
Voici 83 recettes de soupes originales et variées qui vous
feront faire le tour du monde et découvrir une foule
de saveurs délicieuses.

À la soupe!

Bouillon de légumes

Mettre tous les ingrédients dans une grande casserole et porter à ébullition.

Baisser à feu doux et laisser mijoter 2 heures à découvert.

Ingrédients

2 carottes hachées

1 panais haché

1 poireau haché

2 oignons hachés

6 branches de céleri hachées

4 feuilles de laurier

1 bouquet de persil frais

1 c. à thé de poivre noir en grains

12 tasses d'eau

Ingrédients

4 lb d'os ou de carcasse de poulet

1 poireau haché

2 oignons hachés

2 branches de céleri hachées

2 carottes hachées

2 feuilles de laurier

2 c. à thé de poivre noir en grains

20 tasses d'eau

Bouillon de Poulet

Mettre tous les ingrédients dans une grande casserole et porter à ébullition.

Baisser à feu doux et laisser mijoter 2 heures à découvert.

Passer le mélange au tamis fin.

Dégraisser lorsque le bouillon sera refroidi.

Bouillon de Poulet

Bouillon de bœuf

Mettre les os et les oignons dans un plat allant au four. Cuire à 400°F durant 1 heure sans couvrir. Transférer le contenu du plat dans une grande casserole. Ajouter la carotte, le céleri, le poireau, les feuilles de laurier, le persil, le poivre et la première quantité d'eau.

Laisser mijoter 3 heures à découvert. Ajouter la deuxième quantité d'eau.

Laisser mijoter 1 heure à découvert. Passer le mélange au tamis fin. Dégraisser lorsque le bouillon sera refroidi.

Ingrédients

4 lb d'os à moelle

2 oignons coupés en morceaux

1 carotte

2 branches de céleri

1 poireau

2 c. à thé de poivre noir en grains

3 branches de persil

3 feuilles de laurier

20 tasses d'eau (1re quantité)

12 tasses d'eau (2e quantité)

Ingrédients

1 c. à soupe de beurre

1 oignon haché

2 pommes de terre pelées et coupées en dés

1 1/2 tasse de maïs en grains

1/2 tasse de bouillon de poulet

1 c. à thé d'oignons verts hachés

1/2 c. à thé de poudre d'ail

1 c. à thé de poivre

1/2 c. à thé de sel

1 tasse de lait

1 c. à soupe de farine

Crème de maïs

Dans une casserole, faire bouillir les pommes de terre. Égoutter et réserver. Remettre la casserole sur le feu et faire chauffer le beurre. Ajouter l'oignon et le faire revenir quelques minutes à feu moyen-vif. Ajouter le bouillon de poulet, les pommes de terre, le maïs en grains, les oignons verts et la poudre d'ail. Porter à ébullition et laisser mijoter 10 minutes.

Dans un bol, mélanger la farine et le lait et les ajouter au mélange. Porter à ébullition à feu moyen-vif en brassant constamment jusqu'à épaississement. Ajouter le sel et le poivre. Réduire le mélange en purée dans un robot culinaire. Remettre le mélange dans la casserole et laisser mijoter jusqu'à obtenir la température désirée. Servir.

Crème de maïs

Potage de betteraves

Potage de citrouille

Découper le sommet de la citrouille, enlever les graines
et les filaments, détacher la chair et la réserver dans un bol
Dans une casserole, mettre le bouillon de poulet, la chair de citrouille,
les pommes de terre, les carottes, l'oignon et le poireau.
Porter à ébullition à feu moyen-vif et laisser mijoter 30 minutes.
Réduire le mélange en purée dans un robot culinaire
Remettre le mélange dans la casserole, ajouter la crème,
le sel et le poivre, et laisser mijoter à feu moyen
jusqu'à obtenir la température désirée.
Servir.

Présentation :
garnir avec une touche de crème.

Ingrédients

1 citrouille

3 pommes de terre pelées
et coupées en dés

1 oignon haché

2 carottes pelées
et coupées en morceaux

1 blanc de poireau tranché

12 tasses de bouillon de poulet

1 tasse de crème 10 %

1 c. à thé de sel

1 c. à thé de poivre

Potage de betteraves

Dans une casserole, faire chauffer l'huile d'olive. Ajouter l'oignon et le
faire revenir à feu moyen-vif jusqu'à ce qu'il ramollisse. Ajouter le bouillon
de bœuf et porter à ébullition. Ajouter les pommes de terre
et les betteraves et laisser mijoter 30 minutes`à feu moyen.
Ajouter le vinaigre et le poivre et laisser mijoter 2 minutes.
Retirer la casserole du feu et réduire le mélange en purée en petites
quantités dans un robot culinaire. Remettre sur le feu et laisser mijoter
jusqu'à obtenir la température désirée. Garnir avec les branches de persil
et une touche de crème fraîche. Servir.

Ingrédients

1 c. à soupe d'huile d'olive

6 betteraves moyennes

1 oignon moyen haché

1 pomme de terre

3 tasses de bouillon de bœuf

1 c. à thé de vinaigre de vin rouge

1 c. à thé de poivre noir

1/2 tasse de crème fraîche

Quelques branches de persil

Potage de courges

Dans une casserole, faire sauter les oignons, le céleri et les morceaux de courges à feu moyen-vif jusqu'à ce que les oignons soient translucides. Ajouter le bouillon, le poivre et le sel.

Réduire à feu moyen-doux et laisser mijoter 15 minutes, puis retirer du feu. Ajouter les oignons verts et laisser mijoter 2 minutes.

Réduire le mélange en purée dans un robot culinaire une petite quantité à la fois. Remettre le mélange sur le feu et laisser mijoter en brassant de temps à autre jusqu'à atteindre la température désirée.

Servir.

Ingrédients

2 oignons hachés

3 branches de céleri hachées

3 tasses de courges pelées
et coupées en dés

2 c. à soupe de beurre

3 tasses de bouillon de légumes

2 c. à soupe de poivre

1 c. à soupe de sel

1/3 de tasse d'oignons verts hachés

Potage de pommes et poireaux

Porter à ébullition à feu élevé une casserole remplie d'eau.

Mettre les poireaux et les pommes de terre et faire blanchir les poireaux, soit environ 5 minutes.

Retirer les poireaux et laisser les pommes de terre cuire 10 minutes de plus. Retirer la casserole du feu et égoutter.

Remettre la casserole sur le feu, ajouter le beurre et l'huile d'olive et y faire revenir les poireaux et la pomme de terre à feu moyen-vif jusqu'à ce qu'ils atteignent une couleur dorée.

Ajouter le bouillon de poulet et le cumin. Laisser mijoter 15 minutes. Ajouter les pommes. Laisser mijoter encore 5 minutes, puis retirer du feu.

Réduire le mélange en purée en petites quantités dans un robot culinaire. Remettre le mélange dans la casserole et ajouter la crème.

Laisser mijoter en brassant de temps à autre jusqu'à obtenir la température désirée.

Servir.

Ingrédients

3 pommes pelées et coupées en dés
sans le cœur

3 blancs de poireau

1 pomme de terre pelée et coupée
en morceaux

4 tasses de bouillon de poulet

2 c. à thé de cumin

1/2 tasse de crème 15 %

1 c. à thé de beurre

1 c. à thé d'huile d'olive

Potage de pommes et poireaux

Potage de courgettes et aneth

Potage de poivrons

Préchauffer le four à gril.
Déposer les poivrons sur une plaque et la placer
sur la grille la plus haute du four. Les retourner régulièrement.
Lorsque les poivrons sont cuits, les mettre de côté
pour les laisser refroidir.
Enlever la peau des poivrons et les pépins.
Les couper en morceaux et les mettre de côté.
Dans une casserole, faire chauffer l'huile d'olive.
Ajouter l'oignon et l'ail et les faire revenir 5 minutes à feu moyen.
Ajouter les poivrons et les faire revenir 2 à 3 minutes.
Ajouter le bouillon de poulet et les haricots en brassant constamment.
Laisser mijoter 5 minutes. Réduire le mélange en purée en petites
quantités dans un robot culinaire. Remettre la soupe dans la casserole
et laisser mijoter 5 minutes.
Servir.

Ingrédients

1 poivron rouge
1 poivron vert
1 poivron jaune
1 oignon haché
1 gousse d'ail hachée
1 c. à soupe de persil haché
1 c. à soupe d'huile d'olive
2 boîtes (19oz) de haricots rouges
1 3/4 tasse de bouillon de poulet
1/2 c. à thé de sel
1/2 c. à thé de poivre

Potage de courgettes et aneth

Dans une casserole, faire fondre le beurre à feu moyen-vif.
Ajouter les courgettes, l'oignon, l'ail et l'aneth. Faire revenir jusqu'à
ce que les légumes soient tendres, soit environ 10 minutes.
Retirer du feu et laisser refroidir environ 15 minutes.
Réduire le mélange en purée en petites quantités
dans un robot culinaire.
Remettre le mélange dans la casserole, ajouter le sel et le poivre,
et laisser mijoter à feu moyen-doux environ 10 minutes.
Servir la crème dans des bols et ajouter une touche
de crème sure sur le dessus.

Ingrédients

1 c. à soupe de beurre
3 courgettes coupées
en fines rondelles
1/2 oignon haché
1 gousse d'ail hachée
1 c. à soupe d'aneth
1 tasse de bouillon de poulet
1/2 c. à thé de sel
1/2 c. à thé de poivre
Crème sure

Crème de poulet et légumes

Bisque de crabe

Dans une grande casserole, faire un roux en mélangeant le beurre et la farine à feu moyen-vif jusqu'à obtenir une couleur dorée.

Ajouter le céleri et l'oignon et cuire jusqu'à ce qu'ils soient tendres.

Ajouter le bouillon de poulet, le lait, le clou de girofle, le sel d'ail, le tabasco, la sauce Worcestershire, la sauce tomate et la feuille de laurier.

Réduire à feu doux et laisser mijoter 1 ou 2 heures.

Retirer la feuille de laurier et l'huile accumulée sur le dessus de la soupe.

Ajouter le crabe et chauffer à feu moyen-vif.

Passer le mélange en petites quantités au robot culinaire et mélanger jusqu'à obtenir une consistance crémeuse.

Avant de servir, ajouter une touche de crème et quelques morceaux d'oignon vert dans chaque bol.

Servir.

Ingrédients

1/2 tasse de beurre

1/2 tasse de farine

4 branches de céleri coupées en morceaux

1 oignon coupé en morceaux

1 oignon vert coupé en morceaux

1 1/2 tasse de bouillon de poulet

2 tasses de lait

1 pincée de clou de girofle moulu

1/4 de c. à thé de sel d'ail

1/2 c. à thé de poivre

3 gouttes de tabasco

1 c. à soupe de sauce Worcestershire

1 boîte (8 oz) de sauce tomate

1 feuille de laurier

2 tasses de viande de crabe

1/4 de tasse de crème 10 %

Crème de poulet et légumes

Dans une casserole, faire sauter l'oignon dans le beurre jusqu'à ce qu'il soit tendre. Ajouter le bouillon de poulet, le poulet et les légumes. Couvrir et laisser mijoter à feu moyen-doux jusqu'à ce que les légumes soient tendres. Dans un bol, mélanger la farine avec un peu de lait jusqu'à obtenir une texture crémeuse. Ajouter le reste du lait, le sel et le poivre. Ajouter le mélange à la soupe. Laisser mijoter en brassant de temps à autre jusqu'à ce que la soupe épaississe.

Servir.

Ingrédients

1 oignon coupé en morceaux

2 c. à soupe de beurre

2 tasses de bouillon de poulet

2 tasses de poitrine de poulet désossée, cuite et coupée en morceaux.

1 branche de céleri coupée en morceaux

2 carottes coupées en morceaux

2 1/2 tasses de lait

1 c. à soupe de farine

1/2 c. à soupe de poivre

Crème aux champignons

Faire fondre le beurre dans une casserole à feu moyen.

Faire sauter l'oignon, les poireaux et l'oignon vert dans le beurre environ 10 minutes en remuant fréquemment. Ajouter les champignons et les faire sauter 5 minutes. Réduire à feu doux.

Ajouter la farine. Remuer constamment durant 3 minutes ou jusqu'à obtenir une texture épaisse. Ajouter le bouillon de poulet

Porter la soupe à ébullition à feu moyen-élevé.

Réduire à feu doux. Laisser chauffer 10 minutes.

Retirer du feu et passer le mélange au robot culinaire, puis remettre dans la casserole. Ajouter le lait et la crème. Laisser chauffer 10 minutes en remuant fréquemment. Ajouter le poivre de Cayenne, le sel et le poivre noir.

Servir.

Ingrédients

1/4 de tasse de beurre

2 poireaux coupés en rondelles

1 oignon coupé en morceaux

5 grosses têtes de champignons portobellos

4 champignons de Paris tranchés

1 oignon vert tranché

1/4 de tasse de farine

3 tasses de bouillon de poulet

1 tasse de lait

1 tasse de crème 10 %

1 c. à soupe de poivre de Cayenne

1/2 c. à thé de sel

1/2 c. à thé de poivre noir moulu

Crème d'asperges

Enlever le bout des asperges, puis couper le reste de la tige en morceaux d'environ 1 po (2,5 cm).

Mettre le bouillon de poulet, les asperges, la pomme de terre, le poireau, l'oignon, le sel et le poivre dans une grande casserole. Porter à ébullition. Réduire à feu moyen et laisser cuire 8 minutes ou jusqu'à ce que les légumes soient tendres.

Égoutter les légumes et réserver le bouillon. Réduire les légumes en purée dans un robot culinaire.

Ajouter la purée de légumes et la crème au bouillon réservé.

Laisser mijoter 5 minutes à feu doux.

Servir.

Ingrédients

1 lb d'asperges fraîches

1 oignon coupé en morceaux

5 tasses de bouillon de poulet

1 poireau

1 patate coupée en morceaux

3 c. À s. De crème 35%

1/2 c. À t. De gros sel

1/2 c. À t. De poivre noir moulu.

Crème d'asperges

Bisque de tomates

Crème d'épinards

Dans une grande casserole, mettre les épinards, la pomme de terre, l'oignon, l'ail, le bouillon, l'eau, le sel et le poivre.

Couvrir et porter à ébullition.

Réduire à feu doux. Laisser cuire 15 minutes.

Réduire le tout en purée en petites quantités dans un robot culinaire.

Remettre la purée dans la casserole.

Ajouter le lait, la crème et le beurre.

Chauffer à feu moyen en remuant de temps en temps.

Saupoudrer de parmesan râpé et servir.

Ingrédients

5 oz d'épinards congelés

1 pomme de terre pelée et coupée en morceaux

1 oignon coupé en morceaux

2 gousses d'ail hachées

1 tasse de bouillon de poulet

1 1/4 tasse d'eau

1/2 c. à thé de gros sel

1/2 c. à thé de poivre noir moulu

1/2 tasse de lait

1/4 de tasse de crème 10 %

1 c. à thé de beurre non salé

2 c. à soupe de parmesan râpé.

Bisque de tomates

Faire cuire les tomates dans une grande poêle à feu moyen.

Ajouter le bouillon de bœuf (préalablement dilué), le sucre, la feuille de laurier, le basilic et le poivre.

Porter à ébullition à feu moyen-vif.

Réduire le feu à doux. Laisser mijoter 30 minutes.

Dans une petite poêle, faire fondre le beurre.

Ajouter la farine au beurre. Fouetter le mélange 1 à 2 minutes.

Ajouter le lait une tasse à la fois en continuant de fouetter constamment jusqu'à ce que le mélange épaississe.

Ajouter ce mélange au premier en remuant.

Avant de servir, ajouter une touche de crème dans chaque bol

Servir.

Ingrédients

2 lb de tomates pelées et sans pépins

2 cubes de bouillon de bœuf

1 c. à soupe de sucre blanc

1 c. à thé de gros sel

1 feuille de laurier

1/4 de c. à thé de basilic séché

1/4 de c. à thé de poivre noir frais moulu

1/2 tasse de beurre

1/3 de tasse de farine

1 1/2 tasse de lait

crème 15 %

Bisque de carottes

Dans une grande poêle, faire fondre le beurre à feu moyen.

Ajouter les carottes et l'oignon et les faire sauter quelques minutes jusqu'à ce que les carottes ramollissent. Ajouter la coriandre, la pelure d'orange, le gingembre et 1 1/2 tasse du bouillon de poulet.

Réduire le feu au minimum. Laisser bouillir 30 minutes.

Retirer du feu.

Réduire les carottes en purée dans un robot culinaire, puis les mettre dans un grand bol.

Ajouter la purée de carottes au reste des ingrédients. Ajouter le reste du bouillon de poulet et la crème, puis mélanger le tout. Ajouter du sel et du poivre. Laisser mijoter jusqu'à ce que la bisque soit chaude en remuant fréquemment.

Servir.

Ingrédients

3 c. à soupe de beurre

1 lb de carottes pelées et coupées en tranches fines

1 oignon haché

1 c. à soupe de gingembre frais râpé

2 c. à soupe de zeste d'orange râpé

1/4 de c. à thé de coriandre broyée

2 1/2 tasses de bouillon de poulet

1/2 tasse de crème à cuisson

Potage de tomates et basilic à la mijoteuse

À la base de chaque tomate, percer une petite croix. Plonger les tomates dans une casserole d'eau bouillante jusqu'à ce que leur peau commence à se soulever. Les égoutter et les peler.

Dans une grande poêle, faire chauffer l'huile. Faire sauter l'oignon, l'ail et le poivron. Incorporer les tomates, la pâte de tomates, le bouillon, le sel et le poivre. Déposer le tout dans la mijoteuse. Couvrir et faire cuire 6 heures à température élevée ou 8 heures à basse température. Laisser tiédir et réduire le tout en purée au robot culinaire.

Rincer le bol de la mijoteuse, puis verser le potage. Réchauffer le potage à basse température un minimum de 30 minutes.

Croûtons : couper les tranches de pain en cubes d'environ 1 po (2,5 cm). Dans une poêle, faire chauffer de l'huile et y faire dorer les cubes de pain. Réserver sur des essuie-tout.

Incorporer le basilic au potage et le verser dans des bols réchauffés.

Parsemer chaque portion de croûtons et de parmesan râpé.

Ingrédients

1 lb de tomates italiennes

2 c. à soupe d'huile d'olive + huile pour les croûtons

1 oignon tranché finement

2 gousses d'ail dégermées et écrasées

1 poivron rouge paré et tranché finement

2 c. à soupe de pâte de tomates

4 tasses de bouillon

Sel et poivre noir moulu

4 tranches de pain multigrains rassis écroûté

4 c. à soupe de basilic frais haché

Parmesan râpé

Potage de tomates et basilic à la mijoteuse

Potage aux asperges

Potage aux asperges

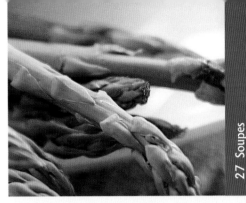

Cassez les parties dures des asperges et réservez-les. Retirez 1 1/2 po (4cm) des têtes d'asperge et coupez chaque tête en trois parties. Réservez-les séparément des parties dures.

Cuisson du bouillon :

dans une grande casserole, faites chauffer la moitié du beurre et faites-y revenir les parties dures des asperges, la moitié du céleri, l'oignon et la partie verte du poireau. Laissez cuire, à découvert, à feu moyen-élevé, en remuant de temps à autre, jusqu'à ce que les légumes soient très cuits, soit environ une demie heure. Ajoutez l'eau, le poivre, le persil, le thym et le sel. Portez à ébullition. Réduisez à feu moyen-bas, couvrez et laissez mijoter une demie heure.

Cuisson des têtes d'asperge :

Dans une grande casserole, portez l'eau salée à ébullition. Plongez-y les têtes d'asperge et faites-les cuire al dente quelques minutes. Égouttez-les dans une passoire, passez-les sous l'eau froide pour arrêter la cuisson et égouttez-les. Réservez-les.

Cuisson du potage :

Dans une autre grande casserole, faites fondre le reste du beurre. Ajoutez les blancs de poireau, le reste du céleri et du sel. Laissez cuire, en remuant, quelques minutes ou jusqu'à ramollissement du poireau. Ajoutez l'ail et faites-le cuire 1 minute. Ajoutez les tiges d'asperge et la pomme de terre. Versez le bouillon à travers un tamis. Portez le tout à ébullition. Réduisez à feu moyen-bas, couvrez et laissez cuire jusqu'à ce que les légumes soient très tendres, soit une vingtaine de minutes. Fermez le feu et laissez tiédir.

Finition du potage :

réduisez la préparation en purée au robot culinaire, mais gardez quelques morceaux de têtes d'asperge pour la décoration. Remettez le potage dans la casserole et incorporez la crème. Réchauffez le potage, à feu moyen-bas. Vérifiez l'assaisonnement et répartissez dans des bols à soupe. Garnissez chaque portion de quelques morceaux de têtes d'asperges.

Dégustez ce potage chaud ou froid.

Ingrédients

2 lb d'asperges

3c. à soupe de beurre

2 tiges de céleri, haché

1 gros oignon haché

1 gros poireau tranché mince
(blanc et vert réservés séparément)

6 tasses d'eau pour le bouillon

2 tasses d'eau salée,
pour les pointes d'asperges

6 grains de poivre noir

5 tiges de persil

3 tiges de thym

sel

3 gousses d'ail, dégermées et hachées

grosse pomme de terre, pelée et
coupée en cubes

1/4 de tasse de crème
à cuisson 35%

Soupe au poisson, maïs et pommes de terre à la mijoteuse

Ingrédients

1 oignon haché

1 lb de beurre

1 lb de filets de sole coupés en cubes

4 grosses pommes de terre coupées en cubes

1 boîte (14 oz) de maïs en crème

2 tasses d'eau

2 tasses de crème à cuisson 35 %

Sel et poivre noir moulu

Faire revenir l'oignon dans le beurre jusqu'à ce qu'il soit transparent.

Dans la mijoteuse, mélanger le poisson, l'oignon, les pommes de terre, le maïs, les assaisonnements et l'eau. Couvrir et laisser cuire à basse température pendant 6 heures. Durant la dernière heure de cuisson, incorporer la crème.

Remuer et servir.

Potage de cresson

Ingrédients

1/4 de tasse de cresson

1 lb de pommes de terre coupées en dés.

1 lb de poireaux coupés en rondelles

1/2 tasse de crème fraîche

4 tasses d'eau

1/2 c. à thé de sel

Dans un chaudron rempli d'eau salée, faire cuire les pommes de terre et les poireaux à feu doux 40 minutes.

Ajouter le cresson et laisser mijoter 5 minutes.

Retirer du feu et égoutter les légumes, puis les piler jusqu'à obtenir une texture lisse.

Ajouter la crème fraîche, du sel et du poivre, et servir.

Potage de cresson

Ingrédients

1 lb de haricots blancs secs

2/3 de tasse d'huile d'olive

4 branches de céleri hachées

2 gros oignons rouges hachés

 carotte pelée et tranchée

6 tasses d'eau froide

Tranches de fromage feta

Ingrédients

1 lb d'épaule d'agneau désossée et coupée en petits cubes

2/3 de tasse de pois chiches secs

1 c. à thé de bicarbonate de soude

1/2 c. à thé de paprika

1/2 c. à thé de curcuma

1 carotte

1 branche de céleri

1 grosse pomme de terre

1 oignon

1 grosse (28 oz) boîte de tomates

1 litre de bouillon de poulet

3 c. à soupe de coriandre fraîche

2 c. à soupe de persil plat

Huile d'olive

Sel et poivre

Soupe aux haricots blancs et aux légumes

La veille du repas, recouvrir les haricots d'eau et les laisser tremper une nuit. Le jour du repas, égoutter les haricots et les rincer à l'eau froide. Les égoutter encore.

Dans une casserole épaisse, faire chauffer la moitié de l'huile à feu moyen. Ajouter le céleri, les oignons et la carotte. Remuer et laisser cuire jusqu'à ce que les légumes soient tendres, soit une dizaine de minutes.

Ajouter les haricots et remuer. Verser l'eau. Porter à ébullition à feu moyen-élevé. Retirer l'écume qui pourrait se former à la surface. Réduire à feu moyen-bas et laisser mijoter, en remuant de temps à autre jusqu'à ce que les haricots soient très tendres et la soupe épaisse et crémeuse, soit environ 2 heures. Assaisonner.

Retirer la casserole du feu et incorporer le reste de l'huile. Répartir dans des assiettes creuses et garnir chaque portion d'une tranche de feta.

Soupe d'agneau et pois chiches

Mettre les pois chiches à tremper toute une nuit dans un grand bol d'eau froide additionnée du bicarbonate de soude.

Rincer les pois chiches. Les faire bouillir 20 minutes afin de pouvoir les peler plus facilement. Pour ce faire, les faire rouler entre le pouce et l'index. Laver, peler et couper en dés la carotte, la pomme de terre et le céleri. Peler et émincer l'oignon. Laver et hacher la coriandre. (Ne pas oublier de garder quelques feuilles pour garnir.) Dégraisser l'agneau.

Dans un grand fait-tout, faire chauffer le curcuma et le paprika quelques secondes pour en faire ressortir tout l'arôme. Ajouter l'huile d'olive. Quand elle est chaude, faire revenir l'agneau. Retirer les morceaux de viande et réserver. Faire revenir les légumes. Une fois que les oignons sont dorés poser les morceaux de viande par-dessus. Ajouter les tomates et le bouillon de poulet. Ajouter les pois chiches, la coriandre et le persil. Saler et poivrer. Porter à ébullition, puis laisser mijoter à feu doux pendant environ 40 minutes.

Parsemer de coriandre et servir très chaud.

Soupe d'agneau et pois chiches

Soupe à l'oignon

Soupe de veau et navets

Faire tremper les pois chiches dans un bol d'eau additionnée
de bicarbonate de soude pendant toute une nuit.
Rincer et égoutter les pois chiches, puis les peler en les faisant rouler
entre le pouce et l'index.
Peler et hacher l'oignon. Couper l'agneau en petits cubes. Dans un bol,
mélanger l'eau avec le concentré de tomates et le paprika.
Dans une grande casserole à fond épais, faire chauffer l'huile d'olive.
Lorsque celle-ci est chaude, y faire suer les oignons.
Ajouter la viande et la faire revenir à feu vif.
Ajouter le liquide et les pois chiches. Saler et poivrer. Porter à ébullition et
laisser mijoter à feu doux pendant 45 minutes.
Peler et laver les navets, puis les couper chacun en 8 quartiers.
Les ajouter à la soupe et laisser cuire encore 30 minutes.
Laver et hacher le persil et la coriandre. Les ajouter à la soupe
en plus du jus de citron. Vérifier l'assaisonnement.
Servir chaud.

Ingrédients

1/3 de tasse de pois chiches secs

1 c. à soupe de bicarbonate
de soude

1 oignon

1 lb d'épaule de veau désossée
coupée en petits cubes

1 litre d'eau

1 c. à soupe de concentré
de tomates

1 c. à thé de paprika

2 navets

3 branches de persil plat

3 feuilles de coriandre

Jus de 1/2 citron

Huile d'olive

Sel et poivre

Soupe à l'oignon

Couper les oignons en rondelles.
Faire fondre le beurre dans une casserole.
Y mettre les oignons et faire cuire à feu modéré pendant environ
15 minutes ou jusqu'à ce que les oignons soient légèrement brunis.
Ajouter la farine aux oignons et mélanger délicatement.
Ajouter le bouillon de bœuf. Porter à ébullition. Réduire à feu doux,
couvrir et laisser mijoter 20 à 30 minutes.
Servir la soupe dans des bols en y ajoutant les croûtons
et le fromage râpé.

Ingrédients

4 oignons coupés en rondelles

4 tasses de bouillon de bœuf

1/4 de tasse de beurre

2 c. à soupe de farine

1/2 c. à thé de sel

1 tasse de cheddar fort

Des croûtons

Soupe au poulet et nouilles

Faire cuire les pâtes selon les instructions du paquet.

Les égoutter et les mettre de côté.

Mettre le bouillon de poulet et l'eau dans un chaudron.

Faire cuire à feu élevé.

Ajouter le céleri, l'oignon, les carottes et les morceaux de poulet.

Faire bouillir à feu moyen-élevé.

Ajouter les pâtes au mélange.

Réduire à feu doux.

Assaisonner avec le sel d'ail, la poudre d'oignon, le sel et le poivre.

Laisser chauffer 20 minutes.

Servir.

Ingrédients

1 paquet de 12 oz de rotinis
(ou d'autres pâtes au choix)

13 tasses de bouillon de poulet

4 tasses d'eau

5 branches de céleri coupées en morceaux

1 poireau coupé en rondelles

1 oignon coupé en morceaux

4 carottes coupées en morceaux

1 1/2 lb de poitrine de poulet désossée coupée en morceaux.

1/2 c. à thé de sel d'ail

1 c. à thé de poudre d'oignon

Sel et poivre au goût.

Soupe à la dinde et légumes

Faire sauter l'oignon dans le beurre jusqu'à ce qu'il devienne transparent.

Ajouter l'eau, les cubes de bouillon de poulet, la dinde et les légumes.

Couvrir et cuire à feu doux jusqu'à ce que les légumes deviennent tendres.

Ajouter un peu de lait à la farine et mélanger jusqu'à obtenir un mélange lisse. Ajouter le restant du lait, le sel et le poivre.

Ajouter le mélange à la soupe en brassant constamment.

Laisser mijoter en brassant occasionnellement jusqu'à ce que la soupe épaississe. Retirer du feu et servir

Ingrédients

1 petit oignon coupé en morceaux

2 c. à soupe de beurre

2 tasses d'eau

2 cubes de bouillon de poulet

2 tasses de morceaux de dinde cuite

1/2 tasse de céleri coupé en morceaux

1 1/2 tasse de pommes de terre coupées en morceaux

1 tasse de carottes coupées en morceaux

2 1/2 tasses de lait

2 c. à soupe de farine

1 c. à thé de sel

1/2 c. à thé de poivre

Soupe à la dinde et légumes

Soupe aux nouilles et crevettes à l'orientale

Soupe minestrone

Dans une casserole, chauffer l'huile d'olive et faire sauter l'oignon, l'ail, le céleri, les carottes, la pomme de terre et la courgette durant environ 3 minutes ou jusqu'à ce que l'oignon commence à ramollir.

Ajouter le bouillon de poulet, la tomate, la pâte de tomates et les haricots. Porter à ébullition.

Ajouter les pâtes, le basilic, le persil, le sel et le poivre. Laisser mijoter à couvert durant environ 15 minutes.

Saupoudrer de parmesan râpé et servir.

Ingrédients

2 c. à thé d'huile d'olive

1 oignon coupé en morceaux

2 gousses d'ail hachées

1 tomate coupée en morceaux

1 c. à soupe de pâte de tomates

1 boîte (19 oz) de haricots rouges rincés et égouttés

4 tasses de bouillon de poulet

1/2 tasse de pâtes au choix

1 carotte coupée en morceaux

1 branche de céleri coupée en morceaux

courgette coupée en morceaux

1 pomme de terre coupée en morceaux

1 1/2 c. à thé de basilic séché

1/2 c. à thé de romarin séché

1/4 de tasse de persil frais haché

Sel et poivre

Parmesan râpé.

Soupe aux nouilles et crevettes à l'orientale

Faire bouillir l'eau dans une grande casserole.

Ajouter les nouilles et les laisser cuire 3 minutes.

Ajouter les crevettes, les oignons verts, les fèves germées, la carotte, la sauce soya et l'assaisonnement des nouilles ramen.

Laisser chauffer 3 minutes.

Servir.

Ingrédients

3 1/2 tasses d'eau

1 paquet de nouilles ramen à l'orientale

1 tasse de crevettes congelées précuites

1/2 tasse d'oignons verts

1/2 tasse de fèves germées.

1 carotte coupée en fines lanières.

2 c. à soupe de sauce soya

Soupe aux légumes verts

Soupe au brocoli et fromage suisse

Dans une casserole, mettre l'eau et le jambon. Porter à ébullition.

Laisser bouillir le jambon 10 minutes.

Ajouter les morceaux de brocoli.

Laisser bouillir jusqu'à ce qu'ils ramollissent.

Dans un bol, mettre la farine et y ajouter peu à peu le lait en brassant constamment. Réduire à feu doux.

Ajouter le mélange de lait et de farine à la soupe en brassant constamment pendant que la soupe épaissit.

Laisser chauffer 5 minutes en brassant de temps en temps.

Ajouter le fromage suisse. Continuer de brasser jusqu'à ce que le fromage soit fondu.

Ajouter le sel et le poivre. Servir.

Ingrédients

1 tasse de jambon coupé en morceaux

1 tasse d'eau

1 paquet de 10 oz de brocoli congelé en morceaux

2 tasses de fromage suisse coupé en morceaux

2 tasses de lait

3 c. à soupe de farine

1/2 c. à thé de gros sel

1/2 c. à thé de poivre noir moulu

Soupe aux légumes verts

Dans une grande casserole, faire chauffer l'huile d'olive.

Faire sauter l'oignon et le poireau environ 5 minutes ou jusqu'à ce qu'ils ramollissent. Brasser de temps en temps.

Ajouter le céleri et l'ail. Faire sauter encore 5 minutes.

Ajouter l'eau, la pomme de terre, le panais, le navet et les haricots verts. Porter à ébullition.

Réduire à feu bas. Couvrir et laisser chauffer 5 minutes.

Ajouter les petits pois et les courgettes.

8- Couvrir et laisser chauffer 25 minutes.

Ajouter 1 c. à soupe de pesto.

Garnir les bols avec le reste du pesto et servir.

Ingrédients

1 c. à soupe d'huile d'olive extra vierge

1 oignon coupé en petits morceaux

1 poireau coupé en rondelles

1 gousse d'ail hachée

6 tasses d'eau

1 pomme de terre coupée en morceaux

1 panais coupé en morceaux

1 petit navet coupé en morceaux

1 tasse de haricots verts

1 tasse de petits pois

2 petites courgettes coupées en morceaux

1/2 tasse d'épinards

1/2 c. à thé de gros sel

1/2 c. à thé de poivre noir moulu

2 c. à soupe de pesto

Ingrédients

1/4 de tasse d'oignons verts

1 gousse d'ail hachée

1/2 oignon haché

1/4 de tasse de tomates en dés

1/4 de tasse de maïs en conserve

1/4 de tasse de haricots verts coupés en morceaux

1 c. à soupe de beurre

1 1/2 tasse de jus de légumes

1 tasse d'eau

1/4 de tasse de riz à grains longs (pas cuit)

1/2 c. à thé de gros sel

1/4 de c. à thé de thym séché

1 feuille de laurier

3/4 de tasse de crevettes en conserve

Ingrédients

1 lb de saucisses italiennes coupées en morceaux

1 gousse d'ail hachée

2 tasses de bouillon de bœuf

1 boîte (1914,5 oz) de tomates en dés aux fines herbes

1 carotte coupée en morceaux

1 boîte (19 oz) de fèves rouges

2 petites courgettes coupées en morceaux

2 tasses d'épinards frais

1/2 c. à thé de gros sel

1/2 c. à thé de poivre noir moulu

Soupe à la créole

Dans une casserole, faire chauffer le beurre. Ajouter l'oignon, les oignns verts, les haricots verts et l'ail et les faire sauter environ 2 minutes ou jusqu'à ce que l'oignon ramollisse.

Ajouter le jus de légumes, l'eau, le riz, les morceaux de tomate, le maïs, le sel, le thym et la feuille de laurier.

Porter à ébullition.

Réduire à feu doux. Laisser chauffer 25 minutes.

Ajouter les crevettes. Faire bouillir environ 7 minutes ou jusqu'à ce qu'elles soient cuites. Retirer la feuille de laurier.

Servir.

Soupe aux légumes et saucisses italiennes

Dans une casserole, faire cuire les saucisses et l'ail jusqu'à ce que les saucisses soient dorées.

Ajouter le bouillon de bœuf, les tomates, la carotte, le sel et le poivre.

Réduire à feu doux et couvrir. Laisser mijoter 15 minutes.

Ajouter les fèves (avec le jus) et les courgettes. Laisser mijoter 15 minutes ou jusqu'à ce que les courgettes soient tendres.

Retirer du feu et ajouter les épinards. Remettre le couvercle et laisser reposer 5 minutes.

Servir.

Soupe aux légumes et saucisses italiennes

Soupe au brocoli

Soupe aux fèves noires

Dans une casserole, faire chauffer l'huile d'olive.

Ajouter l'oignon et l'ail et les faire revenir jusqu'à ce qu'ils ramollissent.

Ajouter le cumin et laisser mijoter 1 minute.

Ajouter le céleri, la carotte, le bouillon de poulet, le maïs et les fèves.

Réduire à feu doux, couvrir et laisser mijoter 15 minutes.

Ajouter le jus de lime et la pâte de tomates.

Servir.

Ingrédients

3 c. à soupe d'huile d'olive

1 petit oignon haché

1 branche de céleri coupée en morceaux

1 carotte coupée en morceaux

2 gousses d'ail hachées

1 c. à soupe de cumin

4 tasses de bouillon de poulet

3 boîtes (19 oz chacune) de fèves noires rincées et égouttées

1/2 tasse de maïs en grains

Jus de 1 lime

1 c. à soupe de pâte de tomates

1/2 c. à thé de sel

1/2 c. à thé de poivre.

Soupe au brocoli

Dans une casserole, faire bouillir l'oignon et les carottes. Lorsque les carottes sont tendres, ajouter le brocoli et le chou-fleur.

Laisser mijoter jusqu'à ce qu'ils soient tendres.

Égoutter, puis ajouter le bouillon de poulet, la crème de céleri, la crème sure, l'aneth, le sel et le poivre. Laisser mijoter 30 minutes.

Servir.

Ingrédients

6 tasses de bouillon de poulet

1 oignon coupé en morceaux

6 carottes coupées en languettes

1 paquet de brocoli et de chou-fleur congelés

1 c. à thé d'aneth frais

1 boîte de crème de céleri

1 tasse de crème sure

1 c. à thé de sel

1/2 c. à thé de poivre

Soupe au jambon et fromage

Chauffer l'huile d'olive dans une casserole.

Ajouter l'oignon, le céleri, le poivron et l'ail. Faire revenir jusqu'à ce qu'ils soient tendres.

Ajouter le jambon et le faire revenir jusqu'à ce que le gras ait fondu.

Ajouter le bouillon de poulet, la feuille de laurier et le basilic.

Réduire à feu doux et laisser mijoter 30 minutes.

Ajouter la crème et faire bouillir à feu moyen-vif.

Réduire à feu moyen-doux et ajouter tranquillement le fromage en brassant constamment.

Servir.

Ingrédients

1 c. à soupe d'huile d'olive

1 petit oignon coupé en morceaux

1 céleri coupé en morceaux

1/2 poivron coupé en morceaux

1 gousse d'ail hachée

1 tasse de jambon coupé en morceaux

4 tasses de bouillon de poulet

1 feuille de laurier

1/2 c. à soupe de basilic séché

1/4 de tasse de crème

1/2 tasse de fromage cheddar râpé

Soupe aux tomates et aneth

Dans une casserole, faire chauffer le beurre.

Y faire revenir les oignons verts jusqu'à ce qu'ils soient tendres, soit environ 3 minutes.

Ajouter les tomates en dés (avec le jus), la pâte de tomates et le bouillon de poulet.

Porter à ébullition à feu moyen-élevé.

Réduire à feu doux. Laisser mijoter 5 minutes.

Ajouter l'aneth.

Servir.

Ingrédients

2 c. à soupe de beurre

3 oignons verts coupés en morceaux

1 boîte (28 oz) de tomates en dés

3/4 de tasse de bouillon de poulet

3 c. à soupe de pâte de tomates

2 c. à soupe d'aneth frais

Soupe aux tomates et aneth

Soupe épicée de Catherine

Dans une casserole, vider la boîte de tomates et chauffer à feu doux
5 minutes.

Ajouter le yogourt, le lait de coco, le cari et le curcuma. Brasser pour obtenir
une texture onctueuse. Laisser mijoter 5 minutes.

Ajouter les cubes de tofu. Laisser mijoter 5 minutes.

Ajouter les épinards et les noix de cajou. Laisser mijoter 2 minutes
en brassant constamment.

Servir.

Ingrédients

1 boîte (5.5 oz) de tomates

200 oz de tofu ferme coupé en
cubes

1 tasse de yogourt nature

1/2 tasse de lait de coco

1 tasse d'épinards (ou de roquette)

1/2 tasse de noix de cajou rôties
non salées

1 c. à thé de cari

1 c. à thé de curcuma

Ingrédients

2 poireaux coupés en rondelles

4 tasses de bouillon de poulet

2 tasses de bouillon de légumes

2 branches de céleri coupées en
morceaux

1 lb de champignons de Paris

1 boîte (19 oz) de fèves blanches

1/2 c. à thé de sel

1/2 c. à thé de poivre

1/2 c. à thé de sauge

1/2 c. à thé de romarin

1/4 de tasse d'huile d'olive

Soupe aux poireaux, champignons et fèves

Dans une grande casserole, mettre tous les ingrédients et porter à ébullition.
Réduire à feu moyen-doux et laisser mijoter 1 heure.
Servir.

Soupe aux poireaux, champignons et fèves

La soupe aux lentilles et aux épinards de Danielle

Soupe miso

Dans une casserole, faire bouillir l'eau.

Ajouter le miso et remuer doucement pour le dissoudre complètement.

Parfumer de coriandre et ajouter la garniture de votre choix.

Servir.

Ingrédients

2 c. à thé de miso

1 tasse d'eau

1 c. à soupe d'échalote hachée

Coriandre fraîche

Garnitures au choix :

avocats coupés en dés

asperges coupées en morceaux

carottes émincées

fèves germées

champignons émincés

tofu soyeux en dés

vermicelles cuits

La soupe aux lentilles et aux épinards de Danielle

Dans une casserole, faire chauffer l'huile d'olive.

Ajouter l'ail et les oignons et les faire revenir jusqu'à
ce que les oignons soient tendres.

Ajouter l'eau, les lentilles et le sel. Porter à ébullition.

Réduire à feu moyen-doux et laisser mijoter 1 heure.

Ajouter le zeste de citron, le jus de citron et les épinards.

Couvrir et laisser mijoter jusqu'à ce que les épinards soient tendres.

Décorer avec un peu de persil et servir.

Ingrédients

2 oignons

1 gousse d'ail hachée

2 c. à soupe d'huile d'olive

3 tasses d'eau

1 c. à soupe de sel

1 tasse de lentilles séchées

1 c. à thé de zeste de citron

2 c. à thé de jus de citron

1 1/2 tasse d'épinards

Quelques branches de persil

Soupe aux pommes de terre et fromage

Soupe méditerranéenne

Dans une casserole, faire chauffer l'huile d'olive à feu moyen-vif.
Ajouter l'oignon et le faire revenir jusqu'à ce qu'il soit tendre,
soit environ 3 minutes.
Ajouter l'eau, le bouillon de poulet, les tomates (ainsi que le jus),
les pois chiches, le cumin, la cannelle et le poivre. Porter à ébullition.
Couvrir et réduire à feu moyen-doux. Laisser mijoter 5 minutes
en brassant de temps à autre.
Ajouter les pâtes et laisser mijoter jusqu'à ce qu'elles soient tendres.
Ajouter le persil.
Servir.

Ingrédients

2 c. à thé d'huile d'olive

2 oignons coupés en dés

1 1/2 tasse d'eau

2 tasses de bouillon de poulet

1/2 c. à thé de cumin moulu.

1/4 de c. à thé de cannelle moulue

1/4 de c. à thé de poivre noir moulu

1 boîte (19 oz) de pois chiches

1 boîte (19 oz) de tomates en dés

1/2 tasse de macaronis ou fusilli
(non cuits)

2 c. à soupe de persil frais haché

Soupe aux pommes de terre et fromage

Ingrédients

Dans une casserole, mettre le bouillon de poulet, l'eau, les pommes
de terre, les lanières de chilis, l'ail, le cumin, le sel et le poivre.
Chauffer à feu moyen-vif jusqu'à ce que les pommes de terre
soient cuites. Ajouter le fromage. Laisser mijoter jusqu'à ce qu'il ait fondu
en brassant constamment. Servir.

2 tasses de bouillon de poulet

1 1/2 tasse d'eau

5 pommes de terre coupées en dés

1 boîte de chilis verts
coupés en lanières

3/4 de tasse de cheddar fort
coupé en dés

1 gousse d'ail hachée

1/2 c. à thé de cumin

1 c. à thé de sel

1 c. à thé de poivre noir moulu

Soupe au riz sauvage

Dans une casserole, faire fondre le beurre.

Ajouter les oignons, le céleri et les carottes et faire revenir jusqu'à ce que les oignons soient tendres.

Ajouter la farine et mélanger jusqu'à ce que la farine se soit complètement dissoute et commence à cuire.

Ajouter la moitié du bouillon de poulet.

Brasser jusqu'à ce que la soupe épaississe.

Ajouter tranquillement le reste du bouillon de poulet. Brasser.

Ajouter le riz sauvage et laisser mijoter 45 minutes.

Ajouter le sel et le poivre.

Incorporer la crème tranquillement en brassant constamment.

Laisser mijoter jusqu'à ce que la soupe ait atteint la bonne température en continuant de brasser

Servir.

Ingrédients

1/2 lb de beurre

1 oignon coupé finement

2 branches de céleri coupées finement

3 carottes coupées finement

2 tasses de farine

2 tasses de crème 10%

2 tasses de bouillon de poulet

3\4 tasse de riz sauvage cuit

1 c. à thé de sel

1 c. à thé de poivre

Soupe aux raviolis

Dans une casserole, faire revenir le bœuf et le porc avec l'ail et l'oignon jusqu'à ce qu'ils soient dorés.

Ajouter les tomates italiennes, la pâte de tomates, le bouillon de bœuf, le sucre, et l'assaisonnement italien. Porter à ébullition.

Réduire à feu doux et laisser mijoter 30 minutes.

Dans une autre casserole, faire cuire les raviolis selon les instructions du paquet. Égoutter les raviolis et les ajouter à la soupe.

Saupoudrer chaque bol de parmesan râpé.

Servir.

Ingrédients

1/2 lb de bœuf haché

1/2 lb de porc haché

1 oignon haché

2 gousses d'ail hachées

1 boîte (28 oz) de tomates italiennes

1 boîte de pâte de tomates

1 3/4 tasse de bouillon de bœuf

1 c. à soupe de sucre

1 c. à soupe d'assaisonnement italien

1/2 tasse de fromage parmesan râpé

1 paquet de raviolis congelés

Soupe aux raviolis

Chaudrée de saumon et pommes de terre

Soupe au poulet et lime

Dans une casserole, faire chauffer l'huile d'olive à feu moyen-vif.
Ajouter l'ail et les oignons et faire revenir
jusqu'à ce que les oignons soient ramollis, soit environ 5 minutes.
Ajouter le bouillon de poulet, le jus de lime, le cumin, l'origan et le poulet.
Porter à ébullition. Réduire à feu moyen-doux et laisser mijoter 10 minutes.
Ajouter le sel et le poivre.
Dans des bols, placer des morceaux d'avocats
et des chips tortillas. Verser la soupe par dessus.
Servir.

Ingrédients

2 c. à thé d'huile d'olive

1/2 tasse d'oignons hachés

1 gousse d'ail hachée

4 tasses de bouillon de poulet

1/2 tasse de poitrine de poulet
désossée coupée en fines lanières.

3 c. à soupe de jus de lime

1/2 c. à thé de cumin

1/2 c. à thé d'origan

1/2 c. à thé de sel

1/2 c. à thé de poivre

1 avocat pelé et coupé en dés

1/4 de tasse de coriandre fraîche

1 tasse de chips tortillas

Chaudrée de saumon et pommes de terre

Dans une casserole, faire chauffer l'huile d'olive à feu moyen-vif.
Ajouter le céleri et l'oignon et faire revenir jusqu'à ce qu'ils soient tendres.
Ajouter le lait, la crème de céleri, l'aneth, le poivre et le sel.
Ajouter les morceaux de pomme de terre et porter à ébullition.
Couvrir et laisser mijoter 20 minutes à feu moyen-doux.
Ajouter le saumon.
Laisser mijoter 5 minutes ou jusqu'à ce que le saumon
se défasse facilement.
Servir.

Ingrédients

1 c. à soupe d'huile d'olive

1/2 tasse de céleri coupé finement.

1 oignon haché

4 tasses de lait

1 boîte (19 oz) de crème de céleri

1 c. à soupe d'aneth frais

1/2 c. à thé de poivre noir moulu

1/2 c. à thé de sel

1 grosse pomme de terre pelée et
coupée en dés

1 tasse de saumon coupé en
morceaux sans peau et sans arêtes

Soupe de lentilles rouges

Soupe de chou et de tofu

Dans une casserole, mettre le bouillon de poulet,
le radis et le gingembre. Porter à ébullition à feu moyen-vif.
Ajouter le sel.
Réduire à feu moyen-doux et laisser mijoter 25 minutes
ou jusqu'à ce que le radis soit tendre.
Ajouter le chou et porter à ébullition 5 minutes à feu moyen-vif.
Réduire à feu moyen et ajouter le tofu. Laisser mijoter quelques minutes.
Servir.

Ingrédients

7 tasses de bouillon de poulet

3/4 de lb de radis du Japon pelés et
coupés en dés

4 tranches minces
de gingembre frais

1/2 lb de chou chinois coupé en
morceaux sans le cœur

1/2 lb de tofu mou coupé en tranches

1/2 c. à soupe de gros sel

Soupe de lentilles rouges

Dans une casserole, faire chauffer l'huile d'olive à feu moyen-vif.
Ajouter l'ail et l'oignon et faire revenir jusqu'à ce que l'oignon ait atteint
une couleur dorée, soit environ 5 minutes.
Ajouter la pâte de tomates, le cumin, le sel, le poivre et la poudre de
chili. Laisser mijoter 3 minutes en brassant de temps à autre.
Ajouter le bouillon de poulet, les lentilles et les morceaux de carotte.
Porter à ébullition.
Réduire à feu moyen-doux, couvrir et laisser mijoter 30 minutes.
Réduire le mélange en purée en petites quantités
dans un robot culinaire. Remettre le mélange dans la casserole
et ajouter le jus de citron et la coriandre. Laisser mijoter quelques minutes
jusqu'à ce que la soupe soit chaude.
Servir.

Ingrédients

3 c. à soupe d'huile d'olive

1 oignon haché

2 gousses d'ail hachées

1 carotte coupée en dés

1 c. à soupe de pâte de tomates

1 c. à thé de cumin broyé

1/2 c. à thé de sel

1/2 c. à thé de poivre

1/4 de c. à thé de poudre de chili

4 tasses de bouillon de poulet

1 tasse de lentilles rouges

3 c. à soupe de jus de citron

2 c. à soupe de coriandre fraîche

Soupe au chou et au chorizo

Dans une casserole remplie d'eau, mettre le chou et laisser bouillir 1 minute à feu vif.

Égoutter.

Remettre le chou dans la casserole et ajouter le beurre, le bouillon de poulet et le chorizo. Porter à ébullition à feu moyen-vif.

Réduire à feu doux, couvrir et laisser mijoter 1 heure.

Ajouter le radis, couvrir et laisser mijoter 30 minutes.

Retirer le chorizo et le couper en morceaux.

Remettre les morceaux de chorizo dans la soupe.

Mettre une touche de crème sure sur chaque bol et servir.

Ingrédients

1 petit chou râpé sans le cœur

4 c. à soupe de beurre

6 tasses de bouillon de poulet

1/2 lb de chorizo

1 lb de radis japonais pelés et coupés en dés

1 tasse de crème sure

1/2 c. à soupe de sel

1/2 c. à soupe de poivre

Soupe tonkinoise

Dans une casserole, mettre le bouillon de bœuf, le gingembre, le persil et le sel d'ail. Porter à ébullition à feu moyen-vif.

Dans un bol, faire tremper les nouilles dans l'eau tiède quelques minutes, les égoutter et les faire bouillir 5 minutes. Égoutter.

Répartir les nouilles dans des bols prêts à servir.

Ajouter les lamelles de bœuf.

Verser le bouillon dans les bols, ajouter une cuillère de sauce soya et saupoudrer de coriandre hachée.

Ajouter du jus de citron au goût.

Servir.

Ingrédients

4 tasses de bouillon de bœuf

7 oz de nouilles de riz

1/2 c. à thé de gingembre râpé

1 c. à thé de sel d'ail

1 c. à thé de persil frais

1 c. à thé de coriandre fraîche hachée

4 oz de lamelles de bœuf pour fondue

6 quartiers de citron

3 c. à soupe de sauce soya

Soupe tonkinoise

Soupe aux tomates et haricots verts

Soupe
aux tomates et orge

Dans une casserole, mettre le bouillon de poulet,
la soupe de tomates, les carottes, le céleri, les petits pois
et l'orge et porter à ébullition à feu moyen-vif.
Réduire à feu moyen-doux et laisser mijoter 30 minutes
ou jusqu'à ce que les légumes soient tendres.
Ajouter quelques petits bouquets de persil sur chaque bol et servir.

Ingrédients

7 1/2 tasses de bouillon de poulet

1 1/2 tasse de bouillon de légumes

2 boîtes (19 oz) de soupe
aux tomates condensée

3 carottes coupées en morceaux

3 branches de céleri
coupées en morceaux

1 tasse de petits pois

1 1/2 tasse d'orge

1/2 tasse de persil frais

Soupe aux tomates
et haricots verts

Dans une casserole, faire fondre le beurre.
Ajouter les oignons et les carottes et les faire revenir
5 minutes à feu moyen-vif.
Ajouter le bouillon de poulet, les haricots et l'ail.
Réduire à feu moyen-doux, couvrir et laisser mijoter 20 minutes.
Ajouter les tomates, le basilic, le sel et le poivre.
Couvrir et laisser mijoter 5 minutes ou jusqu'à ce que
la soupe soit bien chaude.
Servir.

Ingrédients

2 oignons hachés

3 carottes coupées en morceaux

2 c. à thé de beurre

6 tasses de bouillon de poulet

1 lb de haricots verts coupés
en morceaux

1 gousse d'ail hachée

6 tomates coupées en dés

1/4 de tasse de basilic frais haché

1/2 c. à thé de sel

1/2 c. à thé de poivre

Gaspacho

Soupe de poisson et lait de coco

Dans une casserole, faire chauffer l'huile d'olive.
Ajouter l'oignon vert et les morceaux de poireau
et les faire revenir 5 minutes à feu moyen-vif.
Ajouter le bouillon de poisson et les tomates et laisser mijoter 10 min.
Ajouter le lait de coco, le paprika et le gingembre
et laisser mijoter 5 minutes.
Ajouter les filets de sole et laisser mijoter 10 minutes.
Ajouter du jus de citron dans chaque bol
et décorer avec les feuilles de coriandre.
Servir.

Ingrédients

1 c. à soupe d'huile d'olive

4 filets de sole

1 oignon vert émincé

1 poireau tranché

1 gousse d'ail hachée

1/2 boîte (19 oz) de tomates en dés

1 boîte (19 oz) de lait de coco

1 tasse de bouillon de poisson

1 c. à thé de paprika doux

2 c. à thé de gingembre frais râpé

1/2 tasse de jus de citron

Quelques feuilles de coriandre

Gaspacho

Réduire les tomates en purée dans un robot culinaire,
puis les mettre de côté dans un bol.
Réduire en purée les concombres, les poivrons, l'oignon,
l'ail et l'huile d'olive dans un robot culinaire.
Mélanger la nouvelle purée à la purée de tomates,
ajouter le sel et le poivre.
Laisser reposer 2 heures
Servir froid

Ingrédients

6 tomates pelées et coupées en dés

2 concombres pelés
et coupés en morceaux

2 poivrons rouges
coupés en morceaux

1 oignon coupé en morceaux

2 gousses d'ail coupées
en petits morceaux

2 c. à soupe d'huile
d'olive extra vierge

1/2 c. à thé de sel

1/2 c. à thé de poivre noir en grains

Soupe aux concombres et yogourt

Ingrédients

2 concombres

1 1/2 tasse de yogourt nature

1/2 c. à thé de sel

15 feuilles de menthe lavées

Couper les concombres en morceaux.

Réduire en purée les concombres, le yogourt, le sel et la menthe dans un robot culinaire.

Laisser refroidir au réfrigérateur.

Servir froid.

Crème d'avocats

Ingrédients

2 gros avocats pelés et coupés en morceaux.

3/4 de tasse de crème 10 %

2 tasses de bouillon de poulet

1/2 c. à thé de sauce piquante

Sel et poivre noir en grains

Quelques branches de persil

Réduire en purée les morceaux d'avocats dans robot culinaire.

Ajouter la crème. Mélanger.

Mettre le mélange d'avocats dans un bol, y ajouter le bouillon de poulet et bien mélanger.

Passer le mélange au tamis fin.

Ajouter la sauce piquante, le sel et le poivre.

Laisser refroidir au moins 2 heures avant de servir.

Décorer avec un peu de persil et servir.

Crème d'avocats

Soupe au citron

Soupe froide à la mangue

Réduire en purée les mangues, le jus de citron, le zeste
et la crème dans un robot culinaire.
Laisser refroidir au réfrigérateur.
Servir

Ingrédients

2 mangues pelées
et coupées en dés

1/4 de tasse de sucre blanc

Zeste de 1 citron

Jus de 1 citron

1 1/2 tasse de crème 10 %

Soupe au citron

Dans une casserole, faire chauffer le bouillon de légumes, le cidre sec,
le riz, le sel, le poivre et le zeste de citron 40 minutes à feu doux.
Retirer la casserole du feu et réduire le mélange en purée en petites
quantités dans un robot culinaire.
Remettre le mélange dans la casserole.
Ajouter le jus de citron et laisser mijoter quelques minutes à feu doux.
Retirer du feu et laisser refroidir au réfrigérateur.
Garnir avec la ciboulette et les tranches de citron.
Servir.

Ingrédients

3 tasses de bouillon de légumes

1 tasse de cidre sec

1/4 de tasse de riz brun

Jus de 2 citrons

Zeste de 2 citrons

4 tranches de citron

2 c. à soupe de ciboulette fraîche
hachée

1/2 c. à thé de sel

1 c. à thé de poivre

Soupe aux framboises

Ingrédients

2 1/2 tasses de framboises fraîches.

1 1/4 tasse d'eau

1/4 de tasse de vin blanc

1 tasse de jus de canneberge

3/4 de tasse de sucre blanc

1 1/2 c. à thé de cannelle moulue

3 clous de girofle

1 c. à soupe de jus de citron

1 tasse de yogourt aux framboises

Réduire en purée les framboises, l'eau et le vin blanc dans un robot culinaire.

Mettre le mélange dans une casserole.

Ajouter le jus de canneberge, le sucre, la cannelle moulue et les clous de girofle.

Porter à ébullition.

Passer le mélange au tamis. Laisser refroidir.

Ajouter le jus de citron et le yogourt, couvrir et laisser refroidir au réfrigérateur.

Servir.

Soupe aux fraises

Ingrédients

2 tasses de fraises

1 tasse de babeurre

1 c. à thé de cassonade

Réduire en purée les fraises, le babeurre et la cassonade dans un robot culinaire.

Laisser refroidir au réfrigérateur.

Servir.

Soupe aux fraises

Soupe aux pommes et cannelle

Ingrédients

4 pommes pelées, épépinées et coupées en dés

3/4 de tasse de vin blanc

1/4 de tasse de jus de pomme

1/4 de tasse de sucre blanc

1 bâton de cannelle

1/4 de tasse de crème 15 %

1/4 de tasse de crème sure

2 c. à soupe de jus de citron

Dans une casserole, mettre les pommes, le vin, le jus de pomme, le sucre et le bâton de cannelle et porter à ébullition à feu vif.

Réduire à feu doux et laisser mijoter jusqu'à ce que les pommes soient tendres, soit environ 20 minutes.

Retirer le bâton de cannelle.

Réduire en purée le mélange en petites quantités dans un robot culinaire.

Remettre le mélange dans la casserole, ajouter la crème 15 % et la crème sure et bien mélanger.

Ajouter le jus de citron.

Laisser refroidir au réfrigérateur.

Servir

Soupe aux pêches

Ingrédients

5 pêches pelées, dénoyautées et coupées en dés.

1 c. à thé de gingembre moulu

1 1/2 tasse de crème 15 %

2 c. à soupe de rhum

Réduire en purée les pêches et le gingembre dans un robot culinaire.

Ajouter la crème et le rhum.

Laisser refroidir au réfrigérateur.

Servir.

Soupe aux pêches

Soupe aux abricots

Soupe aux nectarines

Réduire en purée les nectarines, le jus de pomme, le jus de canneberge,
le sel et le vinaigre balsamique dans un robot culinaire.
Retirer du robot culinaire, ajouter la ciboulette
et mélanger avec une cuillère.
Laisser refroidir au réfrigérateur.
Servir.

Ingrédients

8 nectarines pelées
et séparées en quartiers

1 tasse de jus de pomme

1 tasse de jus de canneberge

1/2 c. à thé de sel

1 c. à soupe de vinaigre balsamique

1/4 de tasse de ciboulette
fraîche hachée

Soupe aux abricots

Réduire en purée les abricots et le yogourt dans un robot culinaire.
Ajouter le gingembre et la liqueur d'orange et réduire en purée.
Laisser refroidir au réfrigérateur.
Garnir de feuilles de menthe.
Servir.

Ingrédients

10 abricots dénoyautés
et coupés en dés.

1 tasse de yogourt nature

7 feuilles de menthe

1/2 c. à thé de gingembre moulu

2 c. à soupe de liqueur d'orange

Soupe au cantaloup

Réduire en purée le cantaloup et 1/2 tasse de jus d'orange
dans un robot culinaire.

Mettre le mélange dans un bol.

Ajouter le jus de lime, la cannelle et le restant du jus d'orange.

Couvrir et laisser refroidir au réfrigérateur.

Servir.

Ingrédients

1 cantaloup pelé, épépiné
et coupé en dés

2 tasses de jus d'orange

1 c. à soupe de jus de lime

1/4 de c. à soupe de cannelle
moulue.

Soupe aux papayes
et coriandre

Réduire en purée le melon d'eau, les papayes, le lait de coco, le jus de lime,
le sel et 1/2 c. à thé de coriandre dans un robot culinaire.

Laisser refroidir au réfrigérateur.

Ajouter la crème sure, le jus de citron, le sucre et le reste de la coriandre,
puis laisser refroidir au réfrigérateur.

Servir..

Ingrédients

4 papayes pelées, épépinées
et coupées en dés

1/2 melon d'eau pelé, épépiné
et coupé en dés

1 1/2 tasse de lait de coco

1/4 de tasse de jus de lime

1 c. à thé de sel

1 c. à thé de coriandre fraîche
hachée

1/3 de tasse de crème sure

2 c. à thé de jus de citron

1 c. à thé de sucre

Soupe aux papayes et coriandre

Soupe aux bleuets

Soupe aux mûres

Réduire en purée les mûres, la cassonade, l'eau, les tranches de citron, la cannelle et les clous de girofle dans un robot culinaire.
Passer au tamis et laisser refroidir.
Ajouter le yogourt et bien mélanger.
Laisser refroidir au réfrigérateur.
Garnir de mûres et servir.

Ingrédients

4 tasses de mûres fraîches

1/2 tasse de cassonade

2 tasses d'eau

2 citrons tranchés finement

2 clous de girofle

2 tasses de yogourt nature

1/2 c. à t. de cannelle

Soupe aux bleuets

Mettre le zeste de citron, la cannelle et les clous de girofle dans une étamine.
Dans une casserole, mettre les bleuets, le miel, le jus d'orange et le jus de pomme. Ajouter l'étamine et laisser mijoter à feu moyen jusqu'à ce que les bleuets éclatent.
Retirer l'étamine.
Réduire le mélange en purée en petites quantités dans un robot culinaire.
Couvrir et laisser refroidir au réfrigérateur.
Servir.

Ingrédients

1 c. à soupe de zeste de citron

1 bâton de cannelle

2 clous de girofle

4 tasses de bleuets

4 c. à soupe de miel

2 tasses de jus d'orange

2 tasses de jus de pomme

1 tasse de crème sure

Soupe aux avocats et à l'orange

Soupe
aux baies et babeurre

Dans une casserole, mettre les bleuets, les framboises (en garder un peu pour la garniture), les fraises, l'eau, le sucre, le zeste et le jus d'orange.

Porter à ébullition à feu moyen-vif.

Réduire à feu moyen-doux, couvrir et laisser mijoter 20 minutes.

Laisser reposer 30 minutes.

Réduire le tout en purée en petites quantités dans un robot culinaire.

Ajouter le babeurre et mélanger.

Laisser refroidir au réfrigérateur.

Garnir de framboises et de bleuets et servir.

Ingrédients

2 tasses de jus d'orange

1 tasse de bleuets

1/2 tasse de framboises

1/2 tasse de fraises

1 1/2 tasse d'eau

1/2 tasse de sucre blanc

1/2 c. à thé de zeste d'orange

2 tasses de babeurre

Soupe
aux avocats et à l'orange

Ingrédients

Réduire en purée les avocats et le jus d'orange dans le robot culinaire.

Ajouter le yogourt, le tabasco et le sel et mélanger jusqu'à obtenir une texture lisse.

Couvrir et laisser refroidir au réfrigérateur.

Garnir de tranches d'orange et servir.

2 avocats pelés et coupés en dés

1 tasse de jus d'orange

1 tasse de yogourt nature

1/2 c. à thé de sauce tabasco

1/2 c. à thé de sel

Ingrédients

2 c. à soupe d'huile d'olive

1 oignon pelé et haché

1 c. à soupe de poudre de cari

1 c. à soupe de farine

5 pommes rouges, pelées, épépinées et coupées en morceaux

3 tasses d'eau chaude

3 c. à soupe de concentré de bouillon de poulet

3/4 de tasse de crème 10 %

1/4 de c. à thé de poivre

Crème pommes et cari

Dans une casserole, faire chauffer l'huile d'olive à feu moyen-élevé.

Ajouter l'oignon et faire revenir quelques minutes, jusqu'à ce qu'il soit tendre.

Ajouter la poudre de cari et la farine. Laisser mijoter 1 minute.

Ajouter les pommes, l'eau et le concentré de bouillon. Porter à ébullition.

Réduire à feu doux et laisser mijoter à découvert 20 minutes.

Verser le mélange par petites quantités dans le robot culinaire ou le mélangeur et réduire en purée.

Remettre le mélange dans la casserole, ajouter la crème, puis laisser mijoter à feu doux en brassant de temps à autre.

Lorsque le mélange a atteint la température souhaitée, servir.

Ingrédients

1 c. à soupe d'huile d'olive

1/2 tasse de carottes pelées et coupées en rondelles

1/2 tasse d'oignons pelés et coupés en morceaux

3 gousses d'ail hachées

2 poireaux tranchés en rondelles

1 boîte de tomates en dés égouttées

4 tasses d'eau

1 c. à soupe de persil frais haché

1 feuille de laurier

1/2 c. à thé de sel

1/2 c. à thé de poivre

1/2 c. à thé de thym frais haché

1 3/4 lb de pétoncles coupés en morceaux

1/4 lb de crevettes

Soupe de pétoncles

Dans une casserole, faire chauffer l'huile d'olive à feu moyen.

Ajouter les oignons, les carottes, l'ail et les poireaux.

Laisser mijoter 10 minutes en brassant de temps à autre.

Ajouter les tomates, l'eau, le persil, la feuille de laurier, le sel, le poivre et le thym. Porter à ébullition.

Réduire à feu moyen-doux, couvrir et laisser mijoter 30 minutes.

Ajouter les pétoncles et les crevettes et laisser mijoter à découvert une quinzaine de minutes.

Retirer la feuille de laurier et servir.

Soupe de pétoncles

Soupe de moules

Stracciatella

Verser le bouillon de poulet dans une casserole et porter à ébullition.

Dans un bol, fouetter les œufs, le parmesan et le persil.

Réduire à feu doux et verser doucement le mélange d'œufs dans le bouillon en brassant doucement.

Laisser mijoter en remuant de temps à autre jusqu'à ce que les œufs soient cuits.

Ajouter le sel et le poivre.

-Servir.

Ingrédients

5 tasses de bouillon de poulet

2 œufs

5 c. à soupe de parmesan frais râpé

1/4 de tasse de persil frais haché

Sel et poivre

Soupe de moules

Ingrédients

1 1/2 lb de moules

2 c. à thé de safran

1 tasse de vin blanc sec

5 c. à soupe de beurre

5 gousses d'ail hachées

2 oignons pelés et coupés en morceaux

1 carotte pelée et coupée en rondelles

2 branches de céleri coupées en morceaux

1/4 de c. à thé de muscade

1 c. à thé de basilic frais haché

1 c. à thé de thym frais haché

1 feuille de laurier

1/2 tasse de sauce soya

6 tasses d'eau

2 lb de filets de sole coupés en morceaux

Faire bouillir les moules quelques minutes dans de l'eau, puis réserver.

Dans un bol, mélanger le safran et le vin blanc, puis réserver.

Dans une casserole, faire fondre le beurre. Ajouter l'ail, l'oignon la carotte, le céleri, la muscade, le basilic, le thym, la feuille de laurier et la sauce soya. Couvrir et laisser mijoter une dizaine de minutes.

Ajouter l'eau et le mélange de vin et de safran.

Porter à ébullition.

Ajouter les morceaux de filets de sole. Réduire à feu moyen-doux et laisser mijoter 15 minutes, ou jusqu'à ce que le poisson soit à point.

Ajouter les moules et servir.

Ingrédients

BOULETTES

1 lb de bœuf haché maigre

1 œuf

1 c. à soupe de farine

1 gousse d'ail hachée

1/2 oignon pelé et haché

1 tomate sans la peau coupée en morceaux

Sel et poivre

SAUCE

1/3 de tasse de sauce tomate

1 petit oignon pelé et tranché

1 carotte pelée et râpée

1 branche de céleri tranchée

AUSSI

1 1/2 tasse de nouilles courtes

2 tasses d'eau

1/2 c. à thé de sel

Soupe aux boulettes

Préparer les boulettes en mélangeant le bœuf haché, l'œuf, la farine, l'ail, l'oignon, la tomate, le sel et le poivre. Façonner des boulettes et réserver.

Verser le bouillon de bœuf dans une casserole et laisser mijoter à feu moyen-doux une dizaine de minutes.

Mettre les boulettes dans le bouillon de bœuf. Ajouter la carotte, l'oignon, le céleri et la sauce tomate. Couvrir et laisser mijoter 20 minutes.

Dans une deuxième casserole, verser les deux tasses d'eau et le sel. Porter à ébullition. Ajouter les nouilles et laisser mijoter jusqu'à ce qu'elles soient tendres. Retirer du feu et égoutter.

Ajouter les nouilles à la soupe et servir.

Soupe aux boulettes

Ingrédients

3 tasses de petits pois congelés (dégelés)

4 tranches de pancetta coupées en fines lanières

4 courgettes pelées et coupées en morceaux

2 gousses d'ail hachées

1 oignon rouge pelé et haché

3 c. à soupe de menthe fraîche hachée

1 tasse de bouillon de poulet

2/3 de tasse de crème 35 %

2 c. à soupe d'huile d'olive

Ingrédients

2 c. à soupe d'huile d'olive

1 lb de bœuf haché maigre

1 œuf

1 c. à soupe de farine

1 gousse d'ail hachée

1 oignon pelé et haché

2 carottes pelées et coupées en morceaux

2 branches de céleri coupées en morceaux

10 tasses de bouillon de poulet

1 c. à thé de persil frais haché

1 c. à thé de thym frais haché

Sel et poivre

Soupe aux pois, courgettes et pancetta

Dans une casserole, faire chauffer l'huile d'olive. Ajouter l'oignon et la pancetta et faire revenir quelques minutes, ou jusqu'à ce que l'oignon soit ramolli.

Ajouter l'ail, les courgettes et 2 c. à soupe de bouillon de poulet. Laisser mijoter 15 minutes à feu moyen-doux en brassant de temps à autre. Dans une deuxième casserole remplie d'eau, faire bouillir les petits pois. Lorsqu'ils sont prêts, les retirer du feu, les égoutter et les ajouter à la pancetta et aux courgettes. Ajouter le bouillon de poulet et porter à ébullition. Réduire à feu doux et laisser mijoter 5 minutes.

Verser le mélange dans le robot culinaire ou le mélangeur par petites quantités et réduire en purée. Ajouter la menthe et réduire en purée. Remettre le mélange dans la casserole et ajouter la crème. Laisser mijoter en brassant de temps à autre jusqu'à obtenir la température souhaitée.

Noces à l'italienne

Dans un bol, mélanger le bœuf haché, l'œuf, la farine, l'ail, 1 c. à soupe d'oignon, le sel et le poivre. Façonner de toutes petites boulettes de 1/2 pouce. Dans une casserole, faire chauffer 1 c. à soupe d'huile d'olive. Ajouter les boulettes de bœuf haché et les faire revenir jusqu'à ce qu'elles aient perdu leur teinte rosée. Réserver.

Remettre la casserole sur le feu et ajouter 1 c. à soupe d'huile d'olive. Ajouter le reste de l'oignon, le céleri et les carottes. Faire revenir jusqu'à ce que les légumes soient ramollis. Ajouter le persil, le thym, le sel et le poivre, et faire revenir 1 ou 2 minutes. Ajouter le bouillon de poulet et porter à ébullition. Réduire à feu doux et laisser mijoter 15 minutes.

Ajouter les boulettes de viande et laisser mijoter jusqu'à ce que les boulettes soient bien chaudes.

Servir

Noces à l'italienne

Soupe aux gourganes du Saguenay

Soupe aux arachides

Dans une casserole, faire chauffer l'huile d'olive.

Ajouter le piment, le poivron, les oignons et l'ail. Faire revenir jusqu'à ce que l'oignon soit ramolli.

Ajouter les tomates et laisser mijoter quelques minutes, jusqu'à ce qu'elles aient réduit.

Ajouter le jus des tomates et le bouillon de poulet. Porter à ébullition.

Ajouter le riz et laisser mijoter à feu moyen-doux 45 minutes.

Dans un bol, mélanger le beurre d'arachide et un peu du bouillon de la soupe jusqu'à obtenir une substance lisse.

Verser le mélange dans la casserole et laisser mijoter 10 minutes en brassant de temps à autre.

Servir.

Ingrédients

2 c. à soupe d'huile d'olive

2 oignons pelés et hachés

1 piment rouge haché

1 poivron vert haché

3 gousses d'ail hachées

1 boîte (28 oz) de tomates en dés

10 tasses de bouillon de poulet

1/2 tasse de riz brun

1/2 tasse de beurre d'arachide naturel (non salé et non sucré)

Sel et poivre

Soupe aux gourganes du Saguenay

Faire bouillir dans une marmite environ 12 tasses d'eau avec le lard salé.

Ajouter l'oignon, les herbes, le sel et le poivre.

Ajouter les gourganes, les carottes, le céleri, les haricots et l'orge.

Laisser mijoter à feu doux 2 1/2 heures.

Servir.

Ingrédients

2 lb de gourganes épluchées

1/4 de lb de lard salé

5 carottes pelées et coupées en morceaux

1 oignon pelé et haché

10 haricots jaunes coupés en petits morceaux

1 branche de céleri coupée en morceaux

1 c. à soupe de thym

1 c. à soupe de basilic

1 tasse d'orge perlée

Sel et poivre

Soupe au chou et à la saucisse

Soupe aux poivrons

Dans une casserole, faire revenir le bœuf haché jusqu'à ce qu'il ait perdu sa teinte rosée. Égoutter et réserver.

Dans la casserole, faire chauffer l'huile d'olive à feu moyen-doux. Ajouter l'oignon, les poivrons, le sel et le poivre.

Faire revenir jusqu'à ce que les oignons soient ramollis.

Ajouter le cumin et le paprika et faire revenir 1 ou 2 minutes.

Ajouter la pâte de tomate, les tomates, le riz, le bœuf et le bouillon de poulet. Porter à ébullition. Réduire à feu moyen-doux et laisser mijoter une dizaine de minutes.

Servir.

Ingrédients

1 c. à soupe d'huile d'olive

1 oignon pelé et haché

2 poivrons verts coupés en petits morceaux

1 boîte (28 oz) de tomates en dés

1 lb de bœuf haché maigre

4 tasses de bouillon de poulet

2 tasses de riz brun (ou mélangé) cuit

1 boîte (5,5 oz) de pâte de tomate

1/2 c. à thé de cumin

1/2 c. à thé de paprika

Sel et poivre

Soupe au chou et à la saucisse

Dans une casserole, faire chauffer l'huile d'olive à feu moyen-doux.

Ajouter l'oignon, le céleri et les saucisses.

Faire revenir jusqu'à ce que l'oignon soit ramolli et que les saucisses aient atteint une couleur dorée.

Ajouter le chou. Laisser mijoter jusqu'à ce que le chou soit complètement ramolli.

Ajouter un peu du bouillon de poulet et bien gratter le fond de la casserole avec une cuillère en bois pour décoller les morceaux de saucisse. Ajouter le reste du bouillon de poulet, les pommes de terre, le thym, la marjolaine, le sel et le poivre.

Porter à ébullition.

Réduire à feu doux et laisser mijoter 10 minutes.

Servir.

Ingrédients

1 c. à soupe d'huile d'olive

1 oignon pelé et haché

1 branche de céleri hachée

6 pommes de terre pelées et coupées en dés

4 saucisses allemandes douces coupées en diagonale

8 tasses de bouillon de poulet

4 tasses de chou râpé

1 c. à thé de thym frais haché

1 c. à thé de marjolaine

Sel et poivre

Ingrédients

FARCE

1 lbde veau haché

1 c. à soupe de sauce de poisson

1 œuf

1/2 c. à thé de fécule de maïs

1 c. à soupe d'oignon vert

1/2 c. à thé de coriandre

1 c. à soupe de basilic

1 gousse d'ail hachée

1 c. à thé de sauce soya

Sel et poivre

BOUILLON

6 tasses de bouillon de poulet

4 c. à thé de jus de citron

1 petit piment chili

AUSSI

1/2 paquet de pâtes Won Ton

1 oignon vert coupé en rondelles

Lait

Soupe Won Ton au veau et au citron de Ghislain

Dans un bol, mélanger tous les ingrédients pour faire la farce jusqu'à l'obtention d'une pâte homogène.

Mettre environ 1 c. à thé de farce sur une pâte.

Bien refermer la pâte autour de la farce en ajoutant un peu de lait sur le pourtour pour la tenir fermée.

Répéter l'opération pour chaque pâte

Déposer chaque pâte farcie sous un linge humide pour la tenir humide.

Dans une casserole, mettre le bouillon de poulet, le jus de citron et le piment chili. Porter à ébullition, puis réduire à feu moyen.

Dans une deuxième casserole, faire bouillir de l'eau. Y faire tremper les pâtes farcies jusqu'à ce que le dessus soit cuit, puis les transférer dans le bouillon.

Verser dans des bols et saupoudrer d'oignons verts, puis servir.

Soupe Won Ton au veau et au citron de Ghislain

Index

Plats mijotés

70 recettes à cuire lentement, au four ou à la mijoteuse!

Par Marie-Jo Gauthier

éditions les malins

Table des matières

Introduction

La collection Malins Plaisirs propose des livres de recettes ui vous mettront l'eau à la bouche! Des recettes originales à la portée de tous, de superbes photos et des sujets variés : une collection parfaite pour toutes les cuisines, et toutes les bouches!

Qu'il soit préparé à la mijoteuse ou au four, le plat mijoté est une façon simple et délicieuse de préparer un repas savoureux et réconfortant. Légumes, soupes, ragoûts ou pièces de viande : les possibilités sont infinies.

Voici un livre qui vous permettra d'explorer et de faire découvrir l'art de prendre son temps et de partager un bon repas entre amis ou en famille!

Bon appétit!.

Certaines des recettes qui suivent se cuisinent au four, d'autres à la mijoteuse. Vous pouvez adapter les recettes à la mijoteuse pour le four, et vice-versa. Pour ce faire, vous trouverez au bas de cette page un tableau de cuisson auquel vous pourrez vous référer pour adapter les recettes à votre guise.

Attention : comme les liquides s'évaporent beaucoup plus au four qu'à la mijoteuse, nous vous conseillons de garder un œil sur la cuisson pour pouvoir ajuster la quantité de liquide nécessaire, surtout pour les viandes.

Pour les temps de cuisson à la mijoteuse, vous remarquerez qu'ils sont souvent indiqués comme ceci : de 4 à 6 heures. De 6 à 8 heures. Nous avons laissée une marge de deux heures pour la simple et bonne raison que chaque mijoteuse cuit les aliments à une vitesse et une force différente. Nous vous conseillons donc de jeter un coup d'œil à votre mijoteuse après le plus petit nombre d'heures indiqué lorsque vous effectuez la recette pour la première fois.

FOUR	MIJOTEUSE TEMPÉRATURE ÉLEVÉE	MIJOTEUSE BASSE TEMPÉRATURE
15 À 30 MIN.	1 ½ À 2 H	4 À 6 H
35 À 45 MIN.	3 À 4 H	6 À 10 H
50 MIN. À 3 H	4 À 6 H	8 À 18 H

Pacanes à la cajun

Placer tous les ingrédients dans la mijoteuse.

Couvrir et laisser mijoter 15 minutes à température élevée.

Retirer le couvercle et réduire à feu doux.

Laisser mijoter 2 heures en brassant de temps à autre.

Placer les noix sur une tôle et laisser refroidir.

Servir.

Ingrédients

2 tasses de pacanes

4 c. à soupe de beurre fondu

1 c. à soupe de chili en poudre

1 c. à thé de sel

1 c. à thé de basilic séché

1 c. à thé d'origan séché

1 c. à thé de thym séché

1/2 c. à thé de poudre d'oignon

1/4 de c. à thé de poudre d'ail

1/4 de c. à thé de poivre de Cayenne

Trempette au fromage et aux artichauts

Dans un bol, mélanger tous les ingrédients.

Graisser le fond de la mijoteuse.

Y placer le mélange, couvrir et laisser mijoter 1 heure à température élevée.

Servir avec du pain, des légumes et des craquelins.

Ingrédients

1 tasse de parmesan râpé

1 tasse de mozzarella râpée

1 tasse de mayonnaise

1 tasse de cœurs d'artichauts égouttés et coupés en morceaux

1 oignon haché

Trempette au fromage et aux artichauts

Trempette fromage bacon

Placer tous les ingrédients sauf le bacon dans la mijoteuse.

Couvrir et laisser mijoter 1 ou 2 heures à basse température en mélangeant de temps à autre.

Pendant ce temps, faire cuire le bacon dans une casserole, puis le couper en petits morceaux. L'ajouter à la trempette et mélanger.

Servir avec des croûtons de pain.

Ingrédients

16 tranches de bacon

2 tasses de fromage à la crème

4 tasses de fromage cheddar râpé

1 tasse de crème 10 %

2 c. à thé de sauce Worcestershire

1/4 d'oignon pelé et haché

1/2 c. à thé de moutarde sèche

1/2 c. à thé de sel

Quelques gouttes de sauce piquante

Trempette aux épinards

Mettre le fromage à la crème et la crème dans la mijoteuse.

Couvrir et laisser mijoter à basse température jusqu'à ce que le fromage soit fondu, soit environ 1 heure.

Ajouter le reste des ingrédients.

Couvrir et laisser mijoter 45 minutes à basse température.

Servir avec des crudités et des craquelins.

Ingrédients

1 tasse de fromage à la crème

1/4 de tasse de crème 10%

1 tasse d'épinards congelés, dégelés et égouttés

2 c. à soupe de piments forts hachés

1 c. à thé de sauce Worcestershire

1/2 c. à thé d'ail haché

2 c. à soupe de parmesan haché

1/4 d'oignon haché

1/4 de c. à thé de thym

Trempette aux épinards

Soupe à l'oignon

Boulettes à la bière

Écraser les biscuits soda à l'aide d'un rouleau à pâte.
Dans un bol, mélanger le bœuf haché,
les biscuits soda écrasés et les œufs.
Faire des petites boulettes avec le mélange.
Faire revenir les boulettes dans une casserole à feu moyen
jusqu'à ce que la viande ait perdu sa couleur rosée.
Retirer les boulettes et les déposer dans la mijoteuse.
Dans la casserole, mettre le restant des ingrédients,
et porter à ébullition en brassant de temps à autre.
Ajouter la sauce aux boulettes.
Couvrir et laisser mijoter entre 6 et 8 heures à basse
température en brassant de temps à autre.
Servir.

Ingrédients

1/2 bouteille de bière blonde

3/4 de tasse de jus de légumes épicé

1 c. à thé de jus de citron

1 c. à thé de sauce piquante

5 ou 6 biscuits soda

1/2 oignon haché

1/2 c. à thé de sel

1/2 c. à thé de poivre

1/4 de tasse de ketchup

1 c. à thé de raifort

1 c. à thé de sauce Worcestershire

3 lb de bœuf haché maigre

2 œufs

Soupe à l'oignon

Verser le bouillon de bœuf dans la mijoteuse.
Dans une poêle, faire fondre le beurre et y ajouter les oignons.
Faire revenir l'ail et les oignons jusqu'à ce que les oignons
soient légèrement dorés.
Mettre les oignons dans la mijoteuse. Ajouter le sel et le poivre.
Couvrir et laisser mijoter entre 4 et 6 heures à basse température.
Verser la soupe dans des bols allant au four.
Ajouter le fromage et les croûtons de pain. Faire gratiner.
Servir.

Ingrédients

3 gros oignons coupés en tranches

4 tasses de bouillon de bœuf

4 c. à thé de beurre

1 gousse d'ail hachée

1/4 de tasse de parmesan râpé

1 1/2 tasse de gruyère râpé

Croûtons de pain

Sel et poivre au goût

Confit de tomates

Préchauffez le four à 275 oF (140 oC).

Parsemez le fond d'une casserole, juste assez grande pour contenir les tomates en une seule couche, se chevauchant, de thym, de sel et de poivre. Disposez les tomates. Insérez l'ail et arrosez d'huile.

Laissez cuire 3 heures, en arrosant toutes les 45 minutes de jus de cuisson.

Servez ce confit de tomates chaud, en guise d'accompagnement d'une viande ou d'un poisson. Ou encore mélangé à des pâtes.

Ingrédients

500 g (I lb) de tomates italiennes, coupées en deux sur la longueur

6 tiges de thym

1 c. à soupe de gros sel

2 c. à thé de poivre noir du moulin

1 tête d'ail (gousses pelées, dégermées et coupées en deux)

125 ml (1/2 tasse) d'huile d'olive

Gratin de pommes de terre aux deux champignons

Préchauffez le four à 375 °F (190 °C).

Faites réhydrater les porcini dans l'eau bouillante, environ 20 minutes.

Pelez les pommes de terre et tranchez-les le plus finement possible (de préférence à l'aide d'une mandoline). Pour ne pas qu'elles brunissent, plongez-les dans un bol d'eau froide.

Dans une grande poêle, mettez une noix de beurre et 1 c. à soupe d'huile. Faites-y revenir les champignons tranchés, l'ail et le thym.

Égouttez les porcini, réservez l'eau de trempage. Hachez-les et ajoutez-les à la préparation précédente. Assaisonnez.

Dans un plat à gratin graissé, étendez une première couche de pommes de terre, puis une couche de champignons et répétez les opérations jusqu'à épuisement des ingrédients. Arrosez de bouillon et d'eau de trempage des porcini. Parsemez de noix de beurre et faites cuire sur la grille du bas du four 2 heures ou jusqu'à ce que les pommes de terre soient tendres et le dessus doré.

Ingrédients

1 sachet de champignons porcini, séchés

1,5 kg (3 lb) de pommes de terre

Beurre

Huile d'olive

1 contenant de champignons (blancs ou café), tranchés

2 gousses d'ail, dégermées et écrasées

1 c. à soupe de thym frais, haché

Sel et poivre du moulin

Bouillon de légumes

Gratin de pommes de terre aux deux champignons

Agneau fondant aux pommes de terre

Haricots blancs aux champignons, à l'italienne

Dans une grande tasse à mesurer en pyrex, mettez le tiers des haricots. Parsemez du tiers de l'oignon, du tiers de l'ail et du tiers des champignons. Salez et poivrez généreusement. Parsemez de thym. Arrosez de 1 c. à thé d'huile. Répétez les opérations jusqu'à épuisement des ingrédients.

Dans le fond d'une casserole pouvant contenir la tasse, déposez une feuille de papier d'aluminium froissée, ce qui empêche la tasse de cogner contre le métal. Déposez-y la tasse.

Dans la casserole, versez de l'eau jusqu'à atteindre la moitié de la tasse. Couvrez. Portez l'eau à ébullition. Baissez le feu et laissez mijoter 2 heures ou jusqu'à ce que les haricots soient cuits. Remuez, vérifiez l'assaisonnement et servez en guise d'accompagnement d'une viande.

Ingrédients

375 ml (1 1/2 tasse) de haricots blancs, recouverts d'eau froide pendant une nuit et égouttés

1 oignon haché

4 gousses d'ail, dégermées et hachées

1 tasse de champignons tranchés

Sel et poivre noir du moulin

Thym frais haché ou thym séché

4 c. à thé d'huile d'olive

Agneau fondant aux pommes de terre

Dégraissez l'épaule d'agneau. Lavez les pommes de terre. Dans un petit bol, mélangez l'huile d'olive et le safran, que vous aurez dilué dans un peu d'eau chaude. Salez et poivrez. Badigonnez l'épaule avec la moitié de cette sauce et laissez reposer au réfrigérateur environ 3 heures. Commencez la cuisson à four froid et laissez cuire pendant 2 heures à 300 °F (150 °C). Pendant ce temps, faites bouillir les pommes de terre jusqu'à ce qu'elles soient al dente (15-20 minutes). Pelez-les, puis badigonnez-les du reste de la sauce au safran. Disposez les pommes de terre autour de l'agneau et parsemez de petits morceaux de beurre. Poursuivez la cuisson encore 30 minutes.

Ingrédients

1,5 kg (3 lb) d'épaule d'agneau entière, avec les os

1,5 kg (3 lb) de rattes ou de pommes de terre nouvelles

Huile d'olive

Beurre

2 pincées de safran

Sel et poivre

Gigot rôti à la marocaine

Gigot de sept heures aux haricots blancs

La veille, faites tremper les haricots blancs dans de l'eau froide.

Préchauffez le four à 250 °F (120 °C).

Coupez les carottes en tronçons. Émincez les oignons.

Dans une cocotte allant au four, faites dorer le gigot dans l'huile d'olive à feu vif. Ajoutez la feuille de laurier, le thym, la sariette, les oignons, les carottes et l'ail en chemise. Salez et poivrez.

Délayez le concentré de tomates dans 15 cl (2/3 tasse) d'eau chaude, puis versez dans la cocotte. Ajoutez le vin rouge et le bouillon de boeuf.

Couvrez et enfournez. Laissez cuire 7 heures.

Rincez les haricots et faites-les bouillir dans de l'eau salée pendant 45 minutes. Égouttez-les et ajoutez-les au gigot lorsque celui-ci cuit depuis déjà 6 heures.

Dressez le gigot dans un grand plat sur son lit de haricots blancs.

Ingrédients

1 tasse de haricots blancs secs

1 gigot d'agneau de 2 kg (4 lb)

2 carottes

2 oignons

1 feuille de laurier

10 ml (2 c. à café) de thym frais

10 ml (2 c. à café) de sariette séchée

6 gousses d'ail

1 c. à soupe de concentré de tomates

250 ml (1 tasse) de vin rouge

2 tasses de bouillon de boeuf

Huile d'olive

Sel et poivre

Gigot rôti à la marocaine

Hachez finement l'oignon et l'ail. Dans un bol, mélangez l'huile d'olive, le cumin, la cannelle, le gingembre, le poivre de cayenne et le safran.

Ajoutez l'eau et battez à l'aide d'un fouet.

Ajoutez l'oignon et l'ail et remuez bien.

Déposez le gigot dans un grand plat allant au four. Badigeonnez-le généreusement de beurre, salez et poivrez.

Puis enrobez-le du mélange d'oignon et d'épices.

Laissez reposer la viande à température ambiante pendant 1 heure. Préchauffez le four à 350 °F (180 °C).

Enfournez et laissez cuire 2 heures en arrosant souvent du jus de cuisson.

Ingrédients

1 gigot d'agneau de 2 kg (4 lb)

1 oignon rouge

3 gousses d'ail

5 ml (1 c. à café) de cumin

1 pincée de cannelle

1 c. à café de gingembre moulu

1 pincée de poivre de cayenne

1 pincée de safran

1/2 tasse d'eau

30 ml (2 c. à soupe) d'huile d'olive

Beurre

Sel et poivre

Méchoui

Dans un bol, mélangez l'huile, le paprika, le cumin, le sel et le poivre.

Déposez l'épaule d'agneau, laissée entière, dans un grand plat à rôtir.

Badigeonnez la viande du mélange et réfrigérez pendant 3 heures.

Sortez la viande du réfrigérateur environ 30 minutes avant
de la mettre au four.

Versez un verre d'eau dans le fond du plat et enfournez à four froid.

Laissez cuire 2 heures, à 300 °F (150 °C).

Ingrédients

1,5 kg (3 lb) d'épaule d'agneau
entière

45 ml (3 c. à soupe) d'huile
de canola

15 ml (1 c. à soupe) de paprika

5 ml (1 c. à café) de cumin moulu

15 ml (1 c. à soupe) de sel

5 ml (1 c. à café) de poivre
du moulin

Épaule d'agneau Daniela

Coupez la pancetta en petits cubes.

Épluchez l'oignon, pelez les carottes, effilez le céleri.

Hachez le tout en très petits dés. Versez de l'huile dans une cocotte de fonte
émaillée et faites-y revenir la pancetta.

Faites dorer les morceaux d'agneau. Retirez l'agneau et la pancetta
de la cocotte.

Faites revenir les légumes dans le gras de cuisson.

Remettez l'agneau et la pancetta dans la cocotte.

Versez le fond d'agneau et la demi-bouteille de vin blanc.

Ajoutez les gousses d'ail pelées mais entières, le zeste du citron
et les branches de thym et de romarin.

Laissez mijoter à feu moyen environ 3 heures.

Une heure avant la fin de la cuisson, ajoutez les pommes de terre.

Avant de servir, rectifiez l'assaisonnement. Servez la sauce à part.

Ingrédients

5 lb d'épaule d'agneau désossée

250 g (1/2 lb) de pancetta

Huile d'olive ou de canola

1 gros oignon

3 branches de céleri

3 carottes

6 gousses d'ail

500 ml (2 tasses) de fond d'agneau

2 branches de thym frais

2 branches de romarin frais

Le zeste de 1 citron bio

1/2 bouteille de vin blanc sec

20 pommes de terre nouvelles

Sel et poivre

Épaule d'agneau Daniela

Bœuf braisé au vin rouge et aux légumes

Bœuf garni de haricots verts

Coupez le rôti en cubes d'environ 1 po (3 cm) ou faites-le faire par votre boucher. Salez et poivrez. Dans une poêle, faites dorer la viande dans l'huile. Déposez dans la mijoteuse.

Dans la même poêle, faites revenir l'oignon et l'ail. Incorporez le piment de la Jamaïque et laissez cuire, en remuant, 1 minute. Incorporez le bouillon et le concentré de tomates. Portez à ébullition. Mettre dans la mijoteuse.

Couvrez et laissez mijoter entre 4 et 6 heures à basse intensité ou jusqu'à ce que la viande soit à votre goût.

Faites cuire les haricots verts 5 minutes. Égouttez et laissez refroidir.

Coupez en diagonale et mettez dans la mijoteuse.

Couvrez et laissez cuire 15 minutes.

Ingrédients

2 1/2 lb de bœuf d'extérieur de ronde ou de cubes de bœuf à braiser

Sel et poivre du moulin

65 ml (1/4 tasse) d'huile d'olive

1 oignon espagnol, haché

3 gousses d'ail, dégermées et hachées

2 c. à thé de piment de la Jamaïque

2 tasses de bouillon de boeuf

125 ml (1/2 tasse) de pâte de tomate

500 g (1 lb) de haricots verts, parés

Bœuf braisé au vin rouge et aux légumes

Dans un grand bol en verre, déposez la viande. Ajoutez les légumes, les feuilles de laurier, l'ail, les herbes, les grains de poivre et les graines de fenouil. Y verser le vin rouge et laissez mariner une nuit.

Préchauffez le four à 425 °F (220 °C).

Retirez la viande et les légumes de la marinade. Déposez dans une casserole et salez. Ajoutez suffisamment de marinade pour recouvrir la viande. Retirez les graines de fenouil, l'ail et les herbes du reste de la marinade. Ajoutez-les à la viande et aux légumes et laissez cuire au four 15 minutes.

Baissez le four à 300 °F (150 °C). Couvrez et laissez cuire au four 4 heures ou jusqu'à ce que la viande soit très tendre, retournez la viande une fois en cours de cuisson. Gardez la viande et les légumes au chaud.

Dans une autre casserole, tamisez le jus de cuisson. Portez à ébullition, baissez le feu et laissez mijoter jusqu'à consistance de sauce.

Tranchez la viande et nappez de sauce.

Ingrédients

1 rôti d'épaule de bœuf, désossé, de 1,5 kg (3 lb)

2 carottes coupées en grosses tranches

2 tiges de céleri, coupées en grosses tranches

2 poireaux, coupés en gros morceaux

3 feuilles de laurier

Gousses de 1 tête d'ail, coupées en deux et dégermées

8 tiges de thym

4 tiges de romarin

1 c. à thé de grains de poivre noir

1 c. à thé de graines de fenouil

1 bouteille de vin rouge

Ingrédients

2 kg (4 lb) de palette coupée
en cubes

1 chou

1 oignon

5 ml (1 c. à café) de paprika

30 ml (2 c. à soupe) de crème
à cuisson 35 %

4 pommes de terre

Huile d'olive

Sel et poivre

Bœuf au chou

Lavez le chou, coupez le en 8 quartiers.

Épluchez l'oignon et hachez-le finement.

Dans une grande cocotte à fond épais, faites revenir les cubes de viande dans l'huile d'olive. Assaisonnez du paprika.

Ajoutez l'oignon et faites suer.

Ajoutez le chou et mélangez bien.

Mouillez d'eau jusqu'à mi-hauteur. Salez et poivrez. Amenez à ébullition.

Baissez à feu doux et laissez mijoter 2 heures.

Lavez et épluchez les pommes de terre. Faites-les cuire à la vapeur pendant 30 minutes. Réservez.

Ajoutez la crème, rectifiez l'assaisonnement. Laissez réchauffer 5 minutes sans laisser bouillir.

Servez avec les pommes de terre vapeur.

Bœuf à la mode

Ingrédients

2 kg (4 lb) de palette

4 tranches épaisses de lard salé

1L (4 tasses) de vin rouge

15 ml (1c. à soupe) d'huile d'olive

2 oignons

1kg (2lb) de carottes

4 gousses d'ail

1 bouquet garni

Quelques grains de poivre entier

Huile d'olive

Sel et poivre

Pelez les carottes et coupez-les en rondelles. Épluchez l'oignon et émincez-le. Épluchez l'ail.

Dans un grand saladier, versez le vin et l'huile d'olive, puis ajoutez les carottes, les oignons, l'ail, le bouquet garni et quelques grains de poivre.

Ajoutez la viande. Couvrez d'une pellicule plastique et laissez mariner au réfrigérateur pendant 12 heures.

Préchauffez le four à 350 °F (180 °C).

Retirez la viande de la marinade et épongez-la soigneusement.

Filtrez la marinade et réservez d'un côté les légumes égouttés et de l'autre, le liquide.

Dans une grande cocotte allant au four, faites chauffer de l'huile d'olive. Lorsqu'elle est chaude, faites revenir le boeuf. Retirez la viande de la cocotte. Jetez le gras de cuisson.

Disposez les tranches de lard au fond de la cocotte. Puis, mettez par-dessus le boeuf et les légumes égouttés de la marinade. Mouillez du liquide de la marinade. Salez et poivrez. Couvrez et amenez à ébullition.

Enfournez et laissez cuire 3 heures.

Bœuf à la mode

Bœuf braisé aux aromates

Bœuf bouilli

Lavez et épluchez les carottes et les navets.
Coupez les carottes en tronçons et les navets en quartiers.
Épluchez les oignons et l'ail. Piquez l'un des oignons
des clous de girofle.
Coupez les blancs de poireaux en deux dans le sens de
la longueur puis en deux dans le sens de la largeur.
Lavez-les soigneusement.
Lavez et effilez le céleri. Coupez-le en tronçons.
Remplissez d'eau une grande cocotte. Plongez-y les carottes, les navets,
les poireaux, le céleri, le bouquet garni, les oignons, et les gousses d'ail
entières. Salez et poivrez. Amenez à ébullition.
Déposez le boeuf dans la cocotte.
Baissez à feu doux et laissez mijoter pendant 3 heures.

Ingrédients

2 kg (4 lb) de macreuse
6 carottes
4 navets
4 poireaux (blancs seulement)
2 branches de céleri
1 bouquet garni
2 oignons
2 clous de girofle
2 gousses d'ail
Sel et poivre

Bœuf braisé aux aromates

Épluchez et émincez les oignons. Épluchez et hachez l'ail.
Hachez finement les herbes fraîches.
Dans une grande cocotte, faites revenir les cubes
de boeuf dans l'huile d'olive.
Ajoutez les oignons et l'ail et faites suer.
Ajoutez les herbes, le vin blanc et le bouillon.
Amenez à ébullition, puis baissez à feu doux.
Laissez mijoter à couvert pendant 2 h 30.

Ingrédients

1,5 kg (3 lb) de boeuf à braiser,
coupé en gros cubes
2 oignons
6 gousses d'ail
1 feuille de laurier
1 c. à soupe de basilic frais
1 c. à soupe de romarin frais
c. à soupe de sarriette fraîche
1 c. à soupe de thym frais
200ml vin blanc
200ml bouillon de volaille

Ingrédients

Pour la marinade :

1 gros oignon

3 échalotes françaises

1 bouquet garni

3 cuillerées à soupe d'huile d'olive

1 bouteille de bon vin de Bourgogne

2 kg (4 lb) de boeuf à braiser coupé en moyens cubes

30 ml (2 c. à soupe) d'huile d'olive

15 ml (1 c. à soupe) de concentré de tomates

2 gousses d'ail

20 oignons grelots

5 ml (1 c. à café) de sucre

15 ml (1 c. à soupe) de beurre

250 g (1/2 lb) de lardons

20 champignons de Paris

Sel et poivre

Bœuf bourguignon

Épluchez et émincez l'oignon et les échalotes. Déposez-les dans un grand saladier, avec le bouquet garni, l'huile et le vin. Ajoutez les cubes de boeuf et enrobez-les bien de la marinade. Recouvrez le bol d'une pellicule plastique et laissez mariner au réfrigérateur pendant 12 heures.

Sortez les morceaux de boeuf de la marinade et épongez-les soigneusement.

Dans une poêle, à feu vif, faites revenir les cubes de viande dans l'huile de tous les côtés. Réservez.

Filtrez la marinade. Réservez le jus.

Dans une grande cocotte, faites suer dans l'huile l'oignon et les échalotes de la marinade.

Ajoutez les cubes de boeuf, le jus de la marinade, le concentré de tomates et l'ail écrasé. Amenez à ébullition, puis baissez à feu doux. Laissez mijoter doucement à couvert pendant 2 h 30. Pendant la cuisson, prenez soin d'écumer et de dégraisser de temps en temps.

Glacez les oignons grelots : épluchez-les puis mettez-les dans une poêle assez grande pour qu'ils ne forment qu'une couche. Déposez-y le beurre, le sucre et de l'eau jusqu'à mi-hauteur. Faites cuire à feu moyen jusqu'à ce que l'eau soit totalement évaporée et que les oignons aient bruni. Versez-les alors dans la cocotte.

Faites revenir les lardons dans l'huile pendant 5 minutes, puis ajoutez les champignons. Lorsque ceux-ci sont dorés, ajoutez-les à la cocotte.

Laissez cuire le tout à découvert encore une vingtaine de minutes. Rectifiez l'assaisonnement.

Trucs :

Il est important de bien faire dorer les cubes de boeuf avant la longue cuisson afin qu'il ne se défassent pas. Pour ce faire, vous pouvez partager la viande en deux. Faites d'abord revenir une moitié, réservez, puis faites revenir le reste, pour que tous les morceaux soient en contact avec le fond de la poêle.

Choisissez un bon bourgogne, puisque c'est le vin qui donne son goût au plat. Meilleur sera le vin, meilleur sera le plat !

Bœuf bourguignon

Ingrédients

1,5 k (3 lb) d'épaule de boeuf en cubes de grosseur moyenne

3 tranches de lard salé

1,5 kg (3 lb) de carottes

2 oignons

2 feuilles de laurier

250 ml (1 tasse) de vin blanc sec

250 ml (1 tasse) de bouillon de boeuf

30 ml (2 c. à soupe) de persil haché

Huile d'olive

Sel et poivre

Daube de bœuf aux carottes

Coupez les carottes en rondelles, hachez les oignons et le persil.

Dans une grande cocotte, faites revenir le boeuf dans l'huile d'olive. Une fois que la viande est bien dorée de tous les côtés, sortez les morceaux et réservez. Jetez le gras de cuisson.

Disposez les tranches de lard au fond de la cocotte. Placez la viande par-dessus. Arrosez du vin blanc et du bouillon. Ajoutez le laurier et laissez mijoter à feu doux, à couvert, pendant 1 heure.

Ajoutez les carottes et les oignons finement hachés. Salez et poivrez.

Laissez mijoter de nouveau 1 heure.

Au moment de servir, parsemez de persil.

Ingrédients

1,5 kg (3 lb) de jarret de boeuf, désossé et coupé en petits cubes

12 tomates

4 oignons

1 c. à soupe de persil ciselé

1 c. à soupe de coriandre ciselée

1 c. à café de curcuma

1 c. à café de gingembre en poudre

Huile d'olive

Sel et poivre

Jarret de bœuf à la tomate

Faites blanchir les tomates afin de les peler plus facilement.

Épépinez-les et coupez-les en dés.

Épluchez les oignons et coupez-les en dés.

Lavez et ciselez le persil et la coriandre.

Dans une grande cocotte à fond épais, déposer les cubes de boeuf,

les tomates, les oignons, le persil, la coriandre, le curcuma et le gingembre.

Recouvrez d'eau froide. Salez et poivrez.

Portez à ébullition puis baissez à feu doux et laissez mijoter doucement pendant 4 heures.

Jarret de bœuf à la tomate

Pot-au-feu

Pot-au-feu

Pelez les oignons, coupez-en deux en quartiers, piquez l'autre des clous de girofle. Épluchez les gousses d'ail, que vous laisserez entières. Coupez les poireaux en deux dans le sens de la longueur et nettoyez-les soigneusement.

Remplissez d'eau froide une très grosse casserole. Ajoutez les oignons, l'ail, les poireaux, le sel, les grains de poivre et les feuilles de laurier. Plongez-y le morceau de palette et le lard salé.

Mettez sur le feu et portez à ébullition. Lorsque l'eau bout, baissez à feu moyen et laissez mijoter ainsi pendant 2 heures.

Pendant ce temps, préparez vos légumes. Coupez la courge poivrée en quatre et évidez-la sans la peler. Coupez les épis de maïs en deux. Pelez et coupez les autres légumes en gros morceaux. Attachez les haricots verts en petits paquets avec de la ficelle de cuisine ou du fil blanc. Lorsque la viande a cuit 2 heures, ajoutez les légumes et portez de nouveau à ébullition. Laissez bouillir encore 1 heure.

Trente minutes avant la fin de la cuisson, ajoutez les os à moelle.

Dressez dans un grand plat de service, la viande au milieu, les légumes autour et le bouillon à part.

Ingrédients

2 kg (4 lb) de palette

4 à 6 os à moelle

250 g (1/2 lb) de lard salé

3 oignons

2 clous de girofle

2 gousses d'ail

2 poireaux

3 feuilles de laurier

1 chou moyen

6 grosses carottes

1 kg (2 lb) de haricots verts

2 navets moyens

3 panais

1 courge poivrée

3 épis de maïs

6 pommes de terre

Gros sel de mer

Quelques grains de poivre noir

Veau braisé au citron et aux pignons, sauce au vin blanc

Ingrédients

1 rôti de veau de 1,25 kg (2 1/2 lb), coupé en tranches de 2 cm (1 po) d'épaisseur

4 c. à soupe de farine tout usage

2 c. à soupe de beurre

2 c. à soupe d'huile d'olive

1 tige de thym frais, haché ou 1 pincée de thym séché

125 ml (1/2 tasse) de vin blanc

2 tasses de bouillon de poulet

2 zestes de citron de 5 cm (2 po) de longueur, prélevés à l'économe

1 c. à soupe de noix de pignons, grossièrement hachés

Sel et poivre noir du moulin

Coupez chaque tranche de veau en deux. Enfarinez-les.

Dans une cocotte, faites dorer les morceaux de veau dans le beurre et l'huile. Ajoutez le thym et le vin. Portez à ébullition, à découvert, et laissez bouillir 3 minutes. Versez le bouillon. Réduisez le feu, couvrez et laissez mijoter environ 1 h 30 ou jusqu'à tendreté de la viande, en remuant de temps à autre.

À mi-cuisson, ajoutez les zestes de citron ; 10 minutes avant la fin, ajoutez les pignons.

Au moment de servir, remuez, salez et poivrez.

Accompagnez de pâtes.

Veau aux légumes

Ingrédients

2 lb de cubes de veau, à braiser

Farine tout usage

1 c. à soupe d'huile d'olive

1 c. à soupe de beurre

5 gros oignons, hachés

2 gousses d'ail, dégermées et coupées en deux

5 carottes, tranchées

5 tiges de céleri, tranchées

5 pommes de terre, tranchées

1 boîte de 796 ml (28 oz) de tomates

Bouillon de légumes ou de poulet

Sel et poivre noir du moulin

Préchauffez le four à 350 °F (180 °C)

Enrobez les cubes de veau de farine. Dans une cocotte, faites-les revenir dans l'huile et le beurre. Retirez la viande de la casserole et réservez-la.

Dans la même cocotte, faites revenir les oignons avec l'ail, puis les carottes, le céleri et les pommes de terre. Ajoutez de l'huile, si nécessaire. Incorporez les tomates et versez suffisamment de bouillon pour recouvrir le tout. Vérifiez l'assaisonnement.

Remettez le veau dans la casserole et remuez. Couvrez et faites cuire au four 2 heures ou jusqu'à ce que la viande soit à point.

Veau aux légumes

Roulé de veau aux pistaches

Roulé de veau aux pistaches

Préchauffez le four à 350 °F (180 °C).

Farce :

Faites tremper la mie de pain dans le lait. Mélangez les viandes, le parmesan, les pistaches, le persil et l'œuf. Salez et poivrez. Incorporez le pain.

À l'aide d'un maillet, aplatissez le veau jusqu'à ce qu'il soit d'égale épaisseur et étalez-y la farce. Enroulez-le et ficelez-le avec de la ficelle de cuisine. Dans une cocotte, mettez un filet d'huile et faites rissoler l'oignon, le bacon et le veau. Versez le vin blanc et faites réduire de moitié. Versez le bouillon. Couvrez et faites cuire au four 2 heures ou jusqu'à ce que la viande soit à point, surveillez la cuisson et arrosez de jus de cuisson de temps à autre. Découpez en fines tranches et nappez de sauce.

Ingrédients

1 tranche de 1,5 kg (3 lb) de filet de veau

Huile d'olive

1 oignon haché finement

2 tranches de bacon, hachées finement

250 ml (1 tasse) de vin blanc

125 ml (1/2 tasse) de bouillon

Farce :

2 tranches de pain rassis, écroûté

125 ml (1/2 tasse) de lait

225 g (1/2 lb) de bœuf haché, mi-maigre

150 g (1/3 lb) de chair à saucisse

2 c. à soupe de parmesan râpé

1 poignée de pistaches

1 bouquet de persil, haché

1 œuf battu

Sel et poivre du moulin

Jarrets de veau aux tomates en cocotte,
garniture de gremolata

Veau à l'italienne

Dans une poêle, faites chauffer l'huile sur feu moyen et faites-y dorer la pancetta. À l'aide d'une écumoire, retirez-la de la poêle et déposez-la dans la mijoteuse. Enrobez les cubes de veau de farine et faites-les dorer dans la poêle. À l'aide d'une écumoire, déposez-les dans la mijoteuse. Dans la poêle, faites revenir les poireaux, les carottes et le céleri. Incorporez l'ail, le romarin, le sel et le poivre et laissez cuire 1 minute. Versez le vin et le bouillon. Laissez cuire, en remuant, jusqu'à épaississement. Déposez la préparation dans la mijoteuse et remuez. Couvrez la mijoteuse et laissez mijoter entre 2 et 4 heures à haute intensité.

Ingrédients

1 c. à soupe d'huile d'olive

90 g (3 oz) de pancetta, coupée en petits morceaux

2 lb de cubes de veau, à braiser

2 c. à soupe de farine

4 blancs de poireau, hachés

4 carottes, coupées en cubes

3 tiges de céleri, coupées en cubes

3 gousses d'ail, dégermées et émincées

1 c. à soupe de feuilles de romarin, hachées

1 c. à thé de sel

Poivre noir du moulin

1/2 tasse de vin rouge

1/2 tasse de bouillon de poulet

Jarrets de veau aux tomates en cocotte, garniture de gremolata

Dans une grande casserole épaisse, faites chauffer l'huile. Faites-y dorer les jarrets. Assaisonnez-les, retirez-les de la casserole et réservez-les. Dans la même casserole, faites revenir le céleri et les oignons. Ajoutez le thym et faites revenir 5 minutes. Montez le feu. Versez le vin, les tomates et le bouillon. Portez le tout à ébullition et baissez le feu. Remettez les jarrets dans la casserole, couvrez-la et laissez mijoter 2 heures, 10 minutes avant la fin de la cuisson, incorporez les carottes. Répartissez les morceaux de jarrets dans les assiettes de service.

Gremolata :

Mélangez 2 zestes râpés de citron, 1 gousse d'ail, hachée et 4 c. à soupe de persil italien, haché. Parsemez de la gremolata sur chaque portion.

Ingrédients

2 c. à soupe d'huile d'olive

2 jarrets de veau, coupés en morceaux

Sel et poivre noir du moulin

1 tige de céleri, finement hachée

2 oignons, finement hachés

1 c. à thé de thym, haché

1 /2 bouteille de vin blanc

1 boîte de 796 ml de tomates italiennes

1 tasse de bouillon de poulet

Gremolata

Ragoût de veau, à l'italienne

Dans une cocotte, faites fondre le beurre, sur feu moyen. Faites-y revenir l'oignon, le céleri et le romarin, gardez-en pour la ganiture, jusqu'à ce que l'oignon soit transparent. Retirez le romarin.

Enrobez les cubes de veau de farine et ajoutez-les aux oignons. Incorporez l'ail, le sel et le poivre. Faites dorer le veau, en remuant. Baissez le feu. Versez le vin et le bouillon.

Laissez mijoter de 1 h 30 à 2 heures ou jusqu'à tendreté de la viande et consistance de sauce.

Incorporez le concentré de tomates, la carotte et les pommes de terre.

Laissez cuire 15 minutes ou jusqu'à ce que les légumes soient tendres.

Parsemez de feuilles de romarin et servez.

Ingrédients

2 c. à soupe de beurre

1 oignon rouge moyen, coupé en cubes

1 tige de céleri, coupée en cubes

1 tige de romarin

2 lb d'épaule de veau, coupée en cubes

Farine tout usage

1 gousse d'ail, émincée

Sel et poivre noir du moulin

500 ml (2 tasses) de chianti ou autre vin rouge italien

250 ml (1 tasse) de bouillon de bœuf

1/4 tasse de concentré de tomates

1 carotte, coupée en cubes

2 pommes de terre, coupées en cubes

Porc 24 heures

La veille du repas, préchauffez le four à 425 °F (220 °C).

Dans la partie la plus maigre de la viande, percez des fentes et insérez-y de l'ail, des zestes de citron, des feuilles de romarin et des tranches de piment. Épongez la viande avec des essuie-tout et badigeonnez-la d'huile d'olive. Salez et poivrez. Faites-la rôtir au four, gras au fond, 30 minutes.

Baissez le four à 225 °F (110 °C) et laissez cuire pendant 23 h 30, en arrosant copieusement toutes les heures, pas la nuit, mais avant d'aller au lit et au lever.

Au moment du repas, retirez la plupart du jus de cuisson, dégraissez-le et réservez-le. Laissez reposer le porc au four, porte entrouverte, une vingtaine de minutes. Transférez le rôti dans un plat et servez, en arrosant chaque portion de jus de cuisson.

Ingrédients

1 épaule de porc de 3 kg (6 lb), désossée et roulée

3 gousses d'ail, dégermées et tranchées

Minces lanières du zeste de 1 citron

1 tige de romarin (feuilles)

2 piments rouges, parés et tranchés finement

2 c. à soupe d'huile d'olive

Sel et poivre du moulin

Porc 24 heures

Blanquette de veau

Blanquette de veau

Détaillez la viande en gros cubes. Lavez et coupez en tronçons les carottes, le blanc de poireau et le céleri effilé. Épluchez l'oignon, et piquez-le des clous de girofle.

Dans une grande cocotte, saisissez la viande dans le beurre. Avant qu'elle ne blondisse, saupoudrez de farine et remuez bien.

Ajoutez l'oignon, le poireau, les carottes et le céleri. Salez et poivrez.

Recouvrez de bouillon de volaille et laissez mijoter à feu doux pendant 2 heures.

Retirez la viande et faites réduire le bouillon à feu vif, pendant une vingtaine de minutes.

Coupez les champignons en lamelles et, dans une petite poêle, faites-les dorer dans le beurre.

Dans un bol, délayez la crème avec les jaunes d'oeufs. Puis, hors du feu, versez dans le bouillon.

Pressez un demi-citron pour aciduler un peu la sauce.

Dans un grand plat, dressez la viande et les champignons nappés de la sauce. Parsemez de persil ciselé.

Servez avec du riz blanc

Ingrédients

3 lb de tendron
ou d'épaule de veau

2 carottes

1 branche de céleri

1 blanc de poireau

1 oignon

2 clous de girofle

30 ml (2 c. à soupe) de farine

1 L (4 tasses) de bouillon de volaille

20 champignons de Paris

2 jaunes d'œufs

250 ml (1 tasse) de crème 35 %

1/2 citron

4 branches de persil plat

Beurre

Sel et poivre

Note :

On peut remplacer le veau par de la volaille, du lapin, de l'agneau ou encore par un poisson blanc.

Ingrédients

1,5 kg (3 lb) de jarret de veau

15 ml (1 c. à soupe) de farine non blanchie

1 oignon

4 carottes

2 branches de céleri

2 gousses d'ail

125 ml (1/2 tasse) de vin blanc sec

125 ml (1/2 tasse) de bouillon de poulet

500 ml (2 tasses) de tomates en conserve

Huile d'olive

Sel et poivre

Pour la gremolata :

Le zeste de 1 citron bio

Le zeste de 1 orange bio

4 gousses d'ail

30 ml (2 c. à soupe) de persil ciselé

125 ml (1/2 tasse) de chapelure

Osso bucco d'Elena

Préchauffez le four à 350 °F (180 °C).

Pelez les carottes, effilez le persil, épluchez les oignons.

Coupez-les en brunoise.

Épluchez l'ail et hachez-le finement.

Versez la farine dans un sac de plastique. Salez et poivrez.

Enfarinez les morceaux de viande. Secouez l'excédent.

Dans une cocotte allant au four, faites brunir le veau dans l'huile d'olive. Retirez-le et réservez.

Dans le gras de cuisson, faites revenir les légumes.

Remettez la viande et mouillez avec le vin blanc, le bouillon et les tomates (sans leur jus). Rectifiez l'assaisonnement.

Couvrez et enfournez. Laissez cuire 2 h 30.

Pendant ce temps, faites la gremolata. Hachez très finement les zestes de citron et d'orange, l'ail et le persil. Mélangez à la chapelure.

Une quinzaine de minutes avant la fin de la cuisson, saupoudrez la gremolata sur la viande. Terminez la cuisson.

Osso bucco d'Elena

Ingrédients

3 blancs de poireaux

2 carottes pelées

2 c. à soupe d'huile d'olive

2 lb de cubes d'épaule de porc

2 petits (ou un gros) céleris-raves, pelés et coupés en cubes

2 gousses d'ail, dégermées et hachées

1 tasse de vermouth blanc

1 tasse de bouillon de poulet

Jus et zeste de 1 orange

2 c. à soupe de sauce soya

Tiges de romarin (feuilles seulement)

Sel et poivre du moulin

Pain croûté

Ingrédients

500 g (1 lb) de haricots blancs

1 oignon, coupé en quartiers

250 g (1/2 lb) de grosses tranches de bacon, coupées en larges lanières

1 feuille de laurier et 3 tiges de thym, attachées avec une ficelle de cuisine

125 ml (1/2 tasse) de sirop d'érable

2 c. à soupe de moutarde de Dijon

1 tasse de concentré de tomates

2 c. à thé de sel

Poivre du moulin

Ragoût de porc au céleri-rave et à l'orange

Préchauffer le four à 275 °F (140 °C).

Coupez chaque poireau en 5 morceaux et les carottes en morceaux d'environ la même taille que les poireaux.

Dans un faitout, faites chauffer 1 c. à soupe d'huile d'olive. Faites-y brunir les cubes de porc, puis déposez-les dans une assiette, à l'aide d'une écumoire. Dans la même casserole, ajoutez 1 c. à soupe d'huile d'olive, les poireaux, les carottes et les céleris-raves. Faites dorer le tout quelques minutes. Ajoutez l'ail et faites-le dorer 1 minute. Ajoutez le porc, le vermouth, le bouillon, le jus et le zeste d'orange, la sauce soya, le romarin, le sel et le poivre. Remuez et portez à ébullition.

Couvrez et faites cuire au four 2 heures ou jusqu'à ce que le porc soit très tendre et que les poireaux se défassent, remuer à mi-cuisson.

Laissez reposer 10 minutes avant de répartir dans des bols. Accompagnez de pain croûté pour tremper dans la sauce.

Fèves au bacon et au sirop d'érable

La veille du repas, recouvrez les haricots d'eau froide et laissez-les tremper toute la nuit. Égouttez.

Le jour du repas, préchauffez le four à 300 °F (150 °C).

Mettez les haricots dans un faitout. Recouvrez d'eau, portez à ébullition et laissez-les cuire 10 minutes. Baissez le feu et laissez mijoter 20 minutes ou jusqu'à ce que les haricots soient à moitié cuits. Égouttez.

Incorporez le bacon. Écartez le centre de la préparation pour y déposer le bouquet d'herbes. Ramenez les haricots par-dessus. Réservez.

Fouettez le sirop d'érable, la moutarde de Dijon, le concentré de tomates, le sel et le poivre. En napper les haricots. Versez suffisamment d'eau pour les recouvrir. Couvrez et laissez cuire environ 5 heures, vérifiez la cuisson de temps en temps et ajoutez une petite quantité d'eau si les haricots ont tendance à sécher.

Au moment de servir, retirez le bouquet d'herbes et vérifiez l'assaisonnement.

Fèves au bacon et au sirop d'érable

Choucroute à l'alsacienne

Porc en sauce aux pommes, au fenouil et au vin blanc

Préchauffez le four à 350 °F (180 °C).

Réduisez la coriandre, le fenouil, le sel et le poivre au robot. Ajoutez l'ail et actionnez jusqu'à formation d'une pâte. Mettez dans un bol et incorporez graduellement l'huile d'olive, en fouettant jusqu'à émulsion.
Enrobez le porc de cette préparation.

Dans une casserole épaisse couverte, portez le vin à ébullition.

Dans une cocotte, déposez les pommes, le fenouil et l'oignon, en une couche. Arrosez de vin et déposez-y le porc. Couvrez et laissez cuire 3 heures ou jusqu'à tendreté de la viande.

Déposez le rôti dans une assiette, recouvrez d'une tente de papier d'aluminium et gardez au chaud. Dans une grande poêle, tamiser le liquide de cuisson. Retirez le gras de la surface, portez à ébullition et laissez réduire jusqu'à 750 ml (3 tasses), environ 20 minutes.

Tranchez le porc et présentez la sauce en saucière.

Tranchez-le et nappez-le de sauce.

Ingrédients

1 c. à soupe de graines de coriandre

1 c. à soupe de graines de fenouil

1 c. à thé de gros sel

1 c. à soupe de grains de poivre noir

6 gousses d'ail, hachées

3 c. à soupe d'huile d'olive

1 épaule de porc de 3 kg (6 lb), désossée et roulée

1 bouteille de vin blanc sec

3 pommes pelées et hachées

500 ml (2 tasses) de fenouil, haché

1 gros oignon, haché

Choucroute à l'alsacienne

Préchauffez le four à 250 °F (120 °C).

Lavez la choucroute à grande eau et égouttez-la.

Garnissez le fond et les parois d'une grande casserole épaisse de tranches de bacon. Étendez-y la moitié de la choucroute, puis le reste du bacon, le carré de porc et le poulet. Ajoutez les oignons, l'ail, les herbes, les carottes, le poivre et les baies de genièvre. Recouvrez avec le reste de la choucroute. Versez le vin blanc. Ajoutez la graisse d'oie.

Couvrez et faites cuire au four 3 heures. Retirez les oignons et les carottes.

Présentez la choucroute dans un plat de service. Garnissez avec les viandes, coupées en morceaux. Faites cuire les saucisses de Francfort et ajoutez-les aux viandes.

Accompagnez de pommes de terre bouillies et de moutarde de Dijon.

Ingrédients

1,2 kg (2 1/2 lb) de choucroute en conserve

250 g (1/2 lb) de tranches de bacon

1 kg (2 lb) de carré de porc, fumé

1 kg (2 lb) de poulet

2 oignons, piqués de 2 clous de girofle chacun

gousses d'ail, dégermées et écrasées

Herbes séchées au goût

3 carottes

20 grains de poivre

10 baies de genièvre

500 ml (2 tasses) de vin d'Alsace

100 g (1/4 lb) de graisse d'oie

6 petites saucisses de Francfort

Daube de porc

Beakehoff

La veille du repas : détaillez la viande en morceaux égaux. Mettez-la dans un saladier avec un peu de vin, 2 oignons coupés grossièrement, l'ail, le bouquet garni et du poivre. Couvrez hermétiquement et faites mariner le tout pendant 24 heures au réfrigérateur. **Le jour du repas** : préchauffez le four à 350 °F (180 °C). Épluchez les pommes de terre et coupez-les en tranches minces à l'aide d'une mandoline. Émincez les 2 ou 3 oignons qui restent. Retirez la viande de la marinade. Dans une cocotte de fonte émaillée, disposez une couche de pommes de terre sur laquelle vous verserez toute la viande, que vous recouvrirez d'une couche d'oignons. Ajoutez le reste des pommes de terre, puis le reste d'oignons. Mouillez avec le vin blanc et un peu d'eau si besoin. Mettez son couvercle à la cocotte et enfournez pour 2 h 30 à 350 °F (180 °C).

Ingrédients

500 g d'épaule de porc
500 g d'épaule d'agneau
00 g de palette de bœuf
1 kg de pommes de terre
4 ou 5 oignons
2 gousses d'ail
50 cl de vin blanc sec
bouquet garni
Sel et poivre

Daube de porc

La veille du repas : mélangez les ingrédients de la marinade. Dans une grande poêle épaisse, faites chauffer 1 c. à soupe d'huile d'olive et faites-y brunir le porc. Laissez-le tiédir et ajoutez-le à la marinade. Réfrigérez 24 heures.

Le jour du repas : préchauffez le four à 350 °F (180 °C). Retirez le porc de la marinade et réservez-le. Dans une cocotte, portez la marinade à ébullition 15 minutes, retirer l'écume qui pourrait se former à la surface. Versez le bouillon et portez à ébullition. Ajoutez la viande. Couvrez et faites cuire au four 3 heures, en retournant la viande à mi-cuisson. Retirez le porc de la cocotte et gardez-le au chaud, sous une tente de papier d'aluminium. Tamisez le liquide de cuisson dans une autre casserole. Portez à ébullition et laissez-le bouillir de 15 à 20 minutes. Vérifiez l'assaisonnement. Tranchez le rôti et nappez-le de sauce.

Ingrédients

1 c. à soupe d'huile d'olive
épaule de porc, désossée et roulée d'environ 3 kg (6 lb)
375 ml (1 1/2 tasse) de bouillon
Marinade :
1 bouteille de vin rouge
375 ml (1 1/2 tasse) d'huile d'olive
6 tomates italiennes, coupées en deux sur la longueur
6 gousses d'ail, dégermées et écrasées
2 carottes tranchées
4 tiges de céleri, tranchées
1 blanc de poireau, tranché
1 c. à thé de cumin moulu
1/2 bouquet de menthe hachée
3 tiges de thym
2 feuilles de laurier

Dinde rôtie, à la française

Préchauffez le four à 325 °F (160 °C).

Rincez la dinde et asséchez-la. Coupez les ailes et réservez avec les abats. Salez et poivrez la volaille. Repliez la peau du cou sous la dinde et fixez-la à l'aide d'une petite brochette (attache-volaille).

Dans une lèchefrite, déposez les abats, l'ail, le thym, le romarin et les feuilles de laurier. Déposez-y la dinde et badigeonnez-la de beurre fondu.

Faites-la rôtir de 3 h 00 à 3 h 30 ou jusqu'à ce qu'un thermomètre à viande, inséré dans une cuisse, affiche 180 °F (90 °C) et que le jus soit clair, arrosez quelques fois durant la cuisson.

Couvrez d'une tente de papier d'aluminium et laissez reposer la dinde 15 minutes avant de découper. Tamisez le jus de cuisson, dégraissez et servez en saucière.

Ingrédients

1 dinde de 24 kg (12 lb)

Sel et poivre du moulin

1 tête d'ail, gousses séparées

4 tiges de thym

4 tiges de romarin

3 feuilles de laurier

3 c. à soupe de beurre fondu

Cochon de lait, rôti au four

Préchauffez le four à 450 °F (230 °C).

Dans une poêle, faites fondre le lard. Ajoutez la moitié des gousses d'ail et des clous de girofle. Gardez au chaud.

Faites une incision dans le ventre du cochon de lait ou demandez à votre boucher de le faire. Gardez le dos du cochon de lait intact, mais ouvrez le ventre. Salez. Déposez le porcelet, côté ventre, dans une grande rôtissoire, beurrée. Versez le vin et ajoutez 1 c. à soupe d'eau. Cuisez au four 10 minutes. Réduisez le four à 350 °F (180 °C) et laissez rôtir jusqu'à ce que la chair commence à brunir. Ne la laissez pas coller à la rôtissoire. Tournez le porcelet de côté et percez la peau à l'aide d'une grosse fourchette.

Continuez de cuire, en badigeonnant souvent de gras de lard à l'ail, pendant 2 h 30 ou jusqu'à ce que la peau du porcelet soit dorée et croustillante. Retirez du four. Badigeonnez de lard à l'ail, salez et poivrez.

Réservez au chaud sous une tente d'aluminium.

Dans une poêle, faites revenir les oignons. Incorporez le persil, l'origan, le reste de l'ail et des clous. Versez un jet de vin blanc. Faites cuire 5 minutes et incorporez au jus de cuisson.

Découpez le cochon de lait et nappez de sauce.

Accompagnez de pommes de terre persillées et d'une salade verte.

Ingrédients

250 g (1/2 lb) de lard gras

Gousses de 1 tête d'ail, dégermées et légèrement écrasées

4 clous de girofle, écrasés

1 cochon de lait de 5 kg (10 lb)

Sel

1/2 bouteille de vin blanc sec

250 g (1/2 lb) d'oignons tranchés

1 c. à soupe de persil haché

1 c. à soupe d'origan séché

Sel et poivre du moulin

Cochon de lait, rôti au four

Poulet aux olives et au balsamique, à la mijoteuse

Goulash à la hongroise

Dans la mijoteuse, déposez les oignons, le poivron et l'ail.
Enrobez les cubes de viande de farine et faites-les dorer
dans le beurre et l'huile. Déposez sur les légumes.
Mélangez le concentré de tomates, l'eau, le paprika,
le sel et le poivre. En napper la viande.
Cuire dans la mijoteuse entre 8 et 10 heures à basse intensité.
Remuez et servez.
Accompagnez de nouilles au beurre et d'un bol de crème sûre.

N.B. On peut remplacer le porc par du bœuf.

Ingrédients

750 ml (3 tasses) d'oignon haché

1 poivron rouge ou vert, paré et haché

3 gousses d'ail, dégermées et
émincées

3 lb de cubes de porc à braiser

Farine tout usage

1 c. à soupe de beurre

1 c. à soupe d'huile

1 boîte de 156 ml (5,5 oz) de
concentré de tomates

125 ml (1/2 tasse) d'eau

4 c. à thé de paprika

1 pincée de sel

1 c. à thé de poivre noir du moulin

Poulet aux olives et au balsamique, à la mijoteuse

Dans une grande poêle, faites dorer le poulet dans l'huile, à feu moyen-
élevé. Déposez-le dans la mijoteuse. Réduisez à feu moyen. Faites sauter
l'oignon dans la poêle, en remuant, jusqu'à ce qu'il ait ramolli. Ajoutez
l'ail, le sel, le poivre et le thym et laissez cuire 1 minute, en remuant.
Ajoutez les tomates, le bouillon et le vinaigre. Portez à ébullition et versez
sur le poulet. Ajoutez les olives et les câpres. Couvrez la mijoteuse
et laissez cuire entre 4 et 6 heures à basse intensité.
Note : Avant de servir, vérifiez toujours la cuisson. Et repartez la mijoteuse
pour 30 minutes à 1 heure, si le mets n'est pas à votre goût.
Remuez et servez. Parsemez chaque portion de persil haché.

Ingrédients

3 1/2 lb de morceaux de poulet
(poitrines, pilons et cuisses) désossés

1 c. à soupe d'huile d'olive

1 gros oignon rouge, finement haché

5 gousses d'ail, dégermées et hachées

1 c. à thé de sel

1/2 c. à thé de grains de poivre,
grossièrement moulus

1/2 c. à thé de thym séché

2 tasses de tomates, pelées et hachées

1/2 tasse de bouillon de poulet

2 c. à soupe de vinaigre balsamique

2 c. à soupe d'olives conservées
dans l'huile, dénoyautées et hachées

2 c. à soupe de câpres

Persil haché

Dinde de fête, à la française

Dinde de fête, à la française

Préchauffez le four à 200 °F (100 °C).

Farce : coupez le poulet en cubes. Déposez dans un bol, couvrez et réfrigérez. Coupez le foie gras en cubes, déposez dans un grand bol, couvrez et réfrigérez. Ces ingrédients doivent être froids avant la préparation. Dans le bol du robot culinaire, déposez le poulet et le sel. Actionnez jusqu'à formation d'une pâte. Ajoutez les blancs d'œufs et actionnez jusqu'à homogénéité. Continuez d'actionner tout en versant la crème, jusqu'à homogénéité. À l'aide d'une spatule, incorporez au foie gras. Couvrez et réfrigérez jusqu'à ce que la préparation soit refroidie.

Dinde :

incez et asséchez la dinde. Salez et poivrez l'intérieur et l'extérieur. Farcissez-la et bouchez-en les cavités à l'aide de petites brochettes (attache-volaille).

Badigeonnez la volaille de beurre fondu et déposez-la sur une grille, posée dans une grande rôtissoire épaisse.

Cuisson :

Déposez la rôtissoire sur la plus basse grille du four et laissez cuire la dinde 30 minutes. Montez le four à 250 °F (120 °C) et arrosez la dinde de jus de cuisson. Continuez d'augmenter la chaleur du four de 50 degrés toutes les demi-heures, en arrosant chaque fois de jus de cuisson, durant 1 h 30. Puis, fixez la chaleur du four à 375 °F (190 °C), arrosez la volaille et faites-la dorer de 1 h 30 à 2 heures, en arrosant de temps à autre.

Service : Déposez la dinde dans un plateau et laissez reposer une quinzaine de minutes, sous une tente de papier d'aluminium. Dégraissez le jus de cuisson. Déposez la rôtissoire sur 2 ronds de cuisinière. Versez le bouillon et cuisez, à feu moyen, en grattant le fond avec une cuillère de bois, jusqu'à consistance de sauce. Salez, poivrez et gardez au chaud.

Retirez la farce de la dinde et présentez dans un bol de service.

Découpez la dinde. Présentez la sauce en saucière.

Ingrédients

Farce :

1 poitrine de poulet, désossée et sans peau

250 g (1/2 lb) de foie gras, en conserve

1 c. à thé de sel

2 blancs d'œufs, froids

250 ml (1 tasse) de crème 15 % à cuisson, froide

Dinde :

1 dinde de 8 à 10 lb (de préférence biologique)

Sel et poivre noir, du moulin

250 g (1/2 lb) de beurre ramolli

500 ml (2 tasses) de bouillon de poulet

Bœuf aux légumes

Couper la viande en cubes, saler et poivrer.

Déposer les légumes dans la mijoteuse.

Déposer les cubes de bœuf par-dessus les légumes.

Ajouter les feuilles de laurier, le vinaigre, la sauce Worcestershire et l'eau.

Couvrir et laisser mijoter entre 2 et 4 heures à température élevée.

Réduire à basse température et laisser mijoter 8 heures.

Servir.

Ingrédients

3 lb de bœuf

2 branches de céleri coupées en morceaux

2 oignons coupés en morceaux

4 carottes coupées en morceaux

6 pommes de terre pelées et coupées en deux

2 feuilles de laurier

2 c. à soupe de vinaigre de vin

1 c. à thé de sauce Worcestershire

3 tasses d'eau

1 c. à thé de sel

1 c. à thé de poivre

Poulet rôti au citron

Préchauffez le four à 350 °F (180 °C).

Déposez le poulet dans un grand plat à rôtir. Épongez-le soigneusement.

Épluchez l'oignon et l'ail.

Salez et poivrez l'intérieur de la volaille. Introduisez l'oignon et l'ail laissés entiers, ainsi que 2 branches de thym.

Épluchez les pommes de terre et coupez-les en 8 quartiers.

Déposez-les autour du poulet.

Pressez du citron. Arrosez le poulet et les pommes de terre du jus obtenu.

Arrosez également d'un filet d'huile d'olive la volaille et les légumes.

Parsemez du reste du thym. Salez et poivrez.

Enfournez et laissez cuire 2 heures.

Ingrédients

1 poulet

4 gousses d'ail

1 oignon

1 branche de céleri

5 branches de thym frais

8 pommes de terre

1 citron

Huile d'olive

Sel et poivre

Poulet rôti au citron

Goulash

Poulet à la mijoteuse

Passer le poulet sous l'eau, puis bien l'éponger.

Mettre à l'intérieur du poulet le poivre, le sel, le basilic, l'oignon et l'ail.

Déposer le poulet dans la mijoteuse.

Assaisonner de paprika.

Couvrir et laisser mijoter 8 heures à basse température.

Servir.

Ingrédients

1 poulet (2 ou 3 lb) assez petit pour entrer dans votre mijoteuse

1 oignon coupé en deux

1 gousse d'ail

1 c. à thé de sel

1 c. à thé de poivre

1/2 c. à thé de basilic

1 c. à thé de paprika

Goulash

Ingrédients

Déposer les cubes de bœuf dans la mijoteuse

Ajouter l'ail, les oignons, les tomates et les poivrons

Dans un petit bol, mélanger la pâte de tomate, la sauce Worcestershire, la cassonade, le sel, le poivre, le paprika, la moutarde forte et l'eau.

Verser le mélange sur la viande

Couvrir et laisser mijoter 10 heures à basse température

Servir sur du riz

2 livres de bœuf coupé en cubes

1 gousse d'ail hachée

2 oignons tranchés

1 poivron rouge coupé en morceaux

1 conserve de tomates de 19 OZ

4 c. à s. de pâte de tomate

2 c. à s. de sauce Worcestershire

1 c. à s. de cassonade

1 c. à t. de sel

1 c. à t. de poivre

2 c. à t. de paprika

1 c. à t. de moutarde de dijon

1/4 tasse de farine

1/2 tasse d'eau

Pain de viande à l'ancienne

Ragoût paysan

Rouler la viande dans la farine, puis mettre le restant de farine de côté.

Déposer les légumes dans la mijoteuse.

Ajouter la viande, les feuilles de laurier, le bouillon de bœuf, le sel, le poivre et le sucre. Ajouter les 3 tasses d'eau.

Couvrir et laisser mijoter à basse température entre 8 et 10 heures.

Servir.

ASTUCE :

Si la sauce n'est pas assez épaisse, vous pouvez délayer votre restant de farine dans un peu d'eau et la mélanger avec votre ragoût, puis laisser mijoter une dizaine de minutes supplémentaires.

Ingrédients

2 lb de bœuf coupé en cubes

1 tasse de bouillon de bœuf

3 tasses d'eau

1 oignon haché

3 carottes coupées en morceaux

1 branche de céleri coupée en morceaux

2 pommes de terre pelées et coupées en dés

1 navet pelé et coupé en dés

1/2 tasse de farine

2 c. à soupe d'huile d'olive

2 feuilles de laurier

1 c. à thé de sel

1 c. à thé de poivre

1 c. à thé de sucre

Pain de viande à l'ancienne

Graisser le fond et les parois de la mijoteuse.

Émietter les biscuits soda.

Dans un grand bol, mélanger les biscuits émiettés, les œufs, l'oignon, le poivron, le sel, le poivre, le lait et la sauce chili.

Ajouter le bœuf haché.

Façonner un pain circulaire de 5 po (12,5 cm) de diamètre.

Déposer le pain dans la mijoteuse.

Couvrir et laisser mijoter à basse température entre 8 et 10 heures.

Servir.

Ingrédients

1 1/2 lb de bœuf haché maigre

16 biscuits soda

2 œufs

1 oignon haché

1/2 poivron rouge haché

1/4 de tasse de sauce chili

1/4 de tasse de lait

1/2 c. à thé de sel

1/2 c. à thé de poivre

Boulettes sauce tomate

Dans un bol, mélanger le bœuf haché, la chapelure, les œufs, le lait, le parmesan, l'ail, le sel, le poivre, l'origan, le basilic et le thym.

Faire des boulettes d'environ 1,5 po (4 cm).

Déposer les boulettes au fond de la mijoteuse.

Mélanger le bouillon de bœuf et la pâte de tomate.

Verser le mélange sur les boulettes.

Couvrir et laisser cuire à basse température entre 6 et 8 heures.

Servir avec vos pâtes préférées !

Ingrédients

1 1/2 lb de bœuf haché maigre

1/2 tasse de chapelure

2 œufs

1/4 de tasse de lait

1 tasse de bouillon de bœuf

1 boîte de pâte de tomate

1 gousse d'ail hachée

1/4 de tasse de parmesan râpé

1/2 c. à thé de sel

1/2 c. à thé de poivre

1/2 c. à thé d'origan

1/2 c. à thé de basilic

1/2 c. à thé de thym

Côtelettes de porc à la mijoteuse

Enlever le surplus de gras des côtelettes de porc.

Dans un bol, mélanger la moutarde, l'ail et les épices avec le bouillon de poulet.

Déposer les côtelettes dans la mijoteuse.

Verser le mélange sur les côtelettes.

Couvrir et laisser mijoter entre 6 et 8 heures à basse température.

Ingrédients

4 côtelettes de porc maigre

1 c. à thé de moutarde de Dijon

1 tasse de bouillon de poulet

1 gousse d'ail

1/2 c. à thé de sel

1/2 c. à thé de poivre

1 c. à thé de paprika

Côtelettes de porc à la mijoteuse

Sauce à spaghetti mijotée

Fèves au lard du dimanche

Mettre les fèves dans un grand bol et les couvrir d'eau.

Laisser tremper 12 heures.

Égoutter les fèves et les mettre dans la mijoteuse.

Les recouvrir d'eau.

Ajouter les piments, couvrir et laisser mijoter 3 heures à température élevée. Couper le lard en petits cubes.

Ajouter la mélasse, la cassonade et le lard.

Couvrir et laisser mijoter entre 8 et 10 heures à basse température.

Bien brasser et servir.

Ingrédients

1 lb de fèves séchées

1 lb de lard

4 piments secs

1/4 de tasse de mélasse

1/2 tasse de cassonade

2 tasses (environ) d'eau

Sauce à spaghetti mijotée

Dans une poêle, faire chauffer l'huile d'olive.

Faire revenir l'ail, l'oignon et le poivron.

Ajouter le bœuf haché et faire revenir jusqu'à ce que la viande ait perdu sa teinte rosée. Retirer du feu.

Ajouter le restant des ingrédients et bien mélanger.

Déposer le mélange dans la mijoteuse, couvrir et laisser mijoter entre 6 et 8 heures à basse température.

Servir sur les pâtes de votre choix.

Ingrédients

1 lb de bœuf haché maigre

1 gousse d'ail hachée

1 oignon haché

1 poivron jaune coupé en morceaux

2 boîtes (19 oz) de tomates en dés

1 boîte de pâte de tomate

2 c. à soupe d'aneth

1 c. à thé d'origan

1 c. à thé de basilic

1 feuille de laurier

1/2 c. à thé de poivre

1 c. à soupe d'huile d'olive

Ingrédients

2 tasses de bouillon de bœuf

1 1/2 lb de cubes de bœuf

2 tranches de bacon coupées en morceaux

1 oignon haché

5 ou 6 pommes de terre pelées et coupées en morceaux

2 carottes pelées et coupées en rondelles

2 branches de céleri coupées en rondelles

2 navets pelés et coupés en morceaux

1 feuille de laurier

1 c. à thé de romarin séché

1/4 de c. à thé de poivre

2 c. à soupe de farine

2 c. à soupe d'eau

1 c. à soupe de persil frais haché

1 c. à soupe d'huile d'olive

Ragoût aux légumes d'automne

Dans une casserole, faire chauffer l'huile d'olive.

Ajouter le bacon, les cubes de bœuf et l'oignon.

Faire revenir jusqu'à ce que le bacon soit cuit et que le bœuf ait perdu sa teinte rosée.

Mettre le contenu de la casserole dans la mijoteuse.

Ajouter le bouillon de bœuf, les pommes de terre, les carottes, le céleri, les navets, la feuille de laurier, le romarin, le persil et le poivre.

Couvrir et laisser mijoter entre 7 et 9 heures à basse température.

Délayer la farine dans l'eau et l'ajouter au contenant de la mijoteuse en mélangeant bien.

Couvrir et laisser mijoter 15 minutes de plus à température élevée.

Servir.

Ragoût aux légumes d'automne

Poitrines de poulet ail et citron

Dans un bol, mélanger l'origan, le sel et le poivre.

Saupoudrer les poitrines de poulet avec le mélange.

Dans une casserole, faire chauffer l'huile d'olive. Y faire revenir les poitrines de poulet jusqu'à ce qu'elles atteignent une teinte dorée.

Retirer les poitrines de poulet de la casserole et les déposer dans la mijoteuse.

Dans la casserole, mettre l'eau, le jus de citron, le bouillon de poulet, l'ail et le persil. Porter à ébullition en mélangeant bien.

Verser le mélange sur les poitrines de poulet.

Couvrir et laisser mijoter entre 2 et 4 heures à température élevée.

Servir accompagné de pâtes ou de riz.

Ingrédients

2 lb de poitrines de poulet désossées et sans peau

1/4 de tasse d'eau

2 c. à soupe de bouillon de poulet

4 c. à soupe de jus de citron

4 gousses d'ail hachées

1 1/2 c. à thé d'origan

1/2 c. à thé de gros sel

1/2 c. à thé de poivre

2 c. à soupe de persil frais haché

2 c. à soupe d'huile d'olive

Poitrines de poulet aux champignons et au vin

Déposer les champignons, les oignons et l'ail dans la mijoteuse.

Placer les poitrines de poulet par-dessus.

Dans un bol, mélanger le bouillon de poulet, la pâte de tomate, le vin blanc, le sel, le poivre et le sucre.

Verser le mélange sur le poulet.

Couvrir et laisser mijoter entre 6 et 8 heures à basse température.

Dix minutes avant la fin de la cuisson, ajouter le basilic.

Saupoudrer de parmesan râpé et servir avec du riz ou des pâtes.

Ingrédients

3 lb de poitrines de poulet désossées et sans peau

1 3/4 tasse de champignons portobello tranchés

1 oignon haché

2 gousses d'ail hachées

3/4 de tasse de bouillon de poulet

1 boîte de pâte de tomate

1/4 de tasse de vin blanc sec

2 c. à soupe de basilic frais haché

2 c. à thé de sucre en poudre

1/4 de c. à thé de sel

1/2 c. à thé de poivre

1/4 de tasse de parmesan frais râpé

Poitrines de poulet aux champignons et au vin

Pudding au riz à la mijoteuse

Pudding au chocolat blanc

Faire tremper les canneberges dans le brandy
jusqu'à ce qu'elles soient bien imbibées (environ 1 heure).
Couper le chocolat blanc en morceaux.
Bien graisser l'intérieur de la mijoteuse avec du beurre.
Mettre la moitié des croûtons de pain dans le fond de la mijoteuse.
Ajouter la moitié des canneberges et du chocolat blanc.
Ajouter le restant du pain, des canneberges, puis du chocolat.
Dans un bol, battre les œufs et le sucre jusqu'à l'obtention
d'une texture lisse.
Ajouter la crème et l'essence de vanille en mélangeant constamment.
Verser le mélange sur les croûtons de pain,
en s'assurant qu'ils soient bien imbibés.
Laisser mijoter 1 3/4 heure à température élevée.
Servir chaud.

Ingrédients

1/3 de tasse de canneberges
séchées

1/3 de tasse de sucre

3 c. à soupe de brandy ou de bourbon

3 oz de chocolat blanc

2 c. à soupe de beurre

2 tasses de croûtons de pain

4 œufs

1 c. à soupe de crème 10 %

1 c. à thé d'essence de vanille

Pudding au riz à la mijoteuse

Graisser le fond de la mijoteuse avec du beurre.
Dans un bol, mélanger les œufs, la crème,
le sucre et l'essence de vanille à l'aide d'un mélangeur.
Incorporer le riz et les raisins secs.
Verser le mélange dans la mijoteuse.
Saupoudrer de muscade.
Laisser mijoter environ 2 1/2 heures à basse température.
Réfrigérer, puis servir.

Ingrédients

1 1/2 tasse de riz cuit

2 tasses de crème 10 %

3/4 de tasse de raisins secs

3 œufs

2/3 de tasse de sucre

1/2 c. à thé de muscade

2 c. à thé d'essence de vanille

Dessert aux bananes à la mijoteuse

Faire fondre le beurre à feu doux dans la mijoteuse.

Lorsque le beurre est entièrement fondu, ajouter la cassonade et bien mélanger.

Ajouter les bananes et le rhum.

Laisser mijoter environ 1 heure à basse température.

Servir avec de la crème glacée à la vanille.

Ingrédients

1/2 tasse de beurre

1/4 de tasse de cassonade

6 bananes pelées et coupées en rondelles (1 po)

1/4 de tasse de rhum brun

Compote de pommes et patates douces

Déposer les morceaux de pomme de terre et de pomme dans la mijoteuse.

Mélanger la cassonade avec le beurre fondu, puis verser le mélange sur les pommes et les pommes de terre.

Ajouter le jus de pomme.

Saupoudrer de cannelle et de muscade.

Laisser mijoter entre 6 et 8 heures à basse température.

Servir.

Ingrédients

4 pommes de terre douces pelées et coupées en morceaux

2 grosses pommes rouges, pelées, épépinées et coupées en morceaux

de lb de beurre fondu

1/2 tasse de cassonade

1/2 tasse de jus de pomme naturel

1 c. à thé de cannelle

1 c. à thé de muscade

le pommes et patates douces

Compote de pomme mijotée

Pain aux noix et aux abricots

Déposer les abricots sur une planche à découper,
puis les saupoudrer d'une c. à soupe de farine.
Tremper un couteau dans la farine, puis couper les abricots en tranches.
(Répéter cette opération régulièrement pour éviter que les abricots
collent au couteau.)
Dans un grand bol, mélanger le restant de farine, la poudre à pâte,
le bicarbonate de soude, le sucre et le sel.
Dans un deuxième bol, mélanger le lait, l'œuf, le zeste d'orange et l'huile.
Ajouter ce mélange au mélange sec.
Ajouter les abricots et les pacanes.
Mettre le mélange dans une casserole d'aluminium assez petite pour
entrer à l'intérieur de la mijoteuse et couvrir.
Placer du papier d'aluminium chiffonné dans le fond de la mijoteuse.
Déposer la casserole sur le papier d'aluminium.
Placer le couvercle de la mijoteuse en laissant un petit espace pour
permettre à l'excès de vapeur de s'échapper.
Laisser mijoter entre 4 et 6 heures à température élevée.
Servir.

Ingrédients

3/4 de tasse d'abricots séchés

1 tasse de farine tout usage

1/2 tasse de farine de blé entier

1/2 tasse de sucre

3/4 de tasse de lait

1 œuf

1 tasse de pacanes coupées
en morceaux

1 c. à thé de zeste d'orange

2 c. à thé de poudre à pâte

1/4 de c. à thé de
bicarbonate de soude

1/2 c. à thé de sel

1 c. à soupe d'huile végétale

Compote de pomme mijotée

Déposer les pommes dans la mijoteuse.
Ajouter le reste des ingrédients.
Couvrir et laisser mijoter entre 4 et 6 heures à basse température,
ou jusqu'à ce que les pommes soient molles.
Mélanger et servir.

Ingrédients

10 pommes rouges du Québec
pelées, épépinées et coupées en
morceaux

1/2 tasse d'eau

3/4 de tasse de cassonade

1 c. à thé de cannelle

1 c. à thé de muscade

1/2 c. à thé de clou de girofle moulu

Pudding aux dates et aux pommes

Gâteau au chocolat et au beurre d'arachide

Graisser le fond de la mijoteuse avec du beurre.

Dans un grand bol, mélanger la farine, le sucre en poudre, les 2 cuillères de cacao et la poudre à pâte.

Ajouter le lait, l'huile et l'essence de vanille et mélanger jusqu'à l'obtention d'une pâte lisse. Ajouter les pépites de beurre d'arachide et bien mélanger

Déposer la pâte dans la mijoteuse et bien l'étendre.

Dans un deuxième bol, mélanger le sucre et le 1/4 de tasse de cacao.

Mélanger l'eau chaude et le beurre d'arachide, puis ajouter le mélange au sucre et au cacao.

Verser le mélange sur la pâte.

Couvrir et laisser mijoter environ 2 heures à température élevée.

Laisser reposer 30 minutes.

Servir.

Ingrédients

1 tasse de farine tout usage

1/2 tasse de sucre en poudre

3/4 de tasse de sucre

2 c. à soupe de cacao

1 1/2 c. à thé de poudre à pâte

1/2 tasse de lait

2 c. à soupe d'huile végétale

1 c. à thé d'essence de vanille

3/4 de tasse de pépites de beurre d'arachide

1/4 de tasse de cacao

2 tasses d'eau bouillante

1/2 tasse de beurre d'arachide crémeux.

Pudding aux dates et aux pommes

Graisser le fond de la mijoteuse avec du beurre.

Déposer les pommes, les dates, le sucre et les pacanes dans la mijoteuse. Dans un bol, mélanger la farine, la poudre à pâte, le sel, la muscade et la cannelle. Saupoudrer les fruits et les noix avec le mélange.

Ajouter le beurre fondu et bien mélanger.

Ajouter l'œuf battu.

Couvrir et laisser mijoter environ 3 1/2 heures à basse température.

Servir.

Ingrédients

5 pommes rouges pelées, épépinées et coupées en morceaux

3/4 de tasse de sucre en poudre

1/2 tasse de dates dénoyautées et coupées en morceaux

1/2 tasse de pacanes rôties et coupées en morceaux.

2 c. à soupe de farine

1 c. à soupe de poudre à pâte

1/4 de c. à thé de sel

1/4 de c. à thé de muscade

1/4 de c. à thé de cannelle

2 c. à soupe de beurre fondu

1 œuf battu

Dessert aux granolas et aux pommes

Déposer les tranches de pomme et les céréales granolas dans la mijoteuse.

Dans un bol, mélanger le miel, le beurre, la cannelle et la muscade.

Verser le mélange sur les pommes et les granolas et bien mélanger.

Couvrir et laisser mijoter entre 6 et 8 heures à basse température.

Servir avec de la crème glacée.

Ingrédients

4 pommes de taille moyenne pelées, épépinées et coupées en tranches

2 tasses de céréales granolas aux noix

1/4 de tasse de miel

2 c. à soupe de beurre

1 c. à thé de cannelle moulue

1/2 c. à thé de muscade

Délice au chocolat

Badigeonner l'intérieur de la mijoteuse de beurre.

Dans un bol, mélanger tous les ingrédients. Verser le mélange dans la mijoteuse.

Couvrir et laisser mijoter entre 3 et 4 heures à température élevée.

Servir chaud avec de la crème glacée.

Ingrédients

1 paquet de mélange à gâteau au chocolat

1 tasse de crème sûre

1 tasse de pépites de chocolat sucrées

1 tasse d'eau

4 œufs

3/4 de tasse d'huile végétale

1 paquet de pudding instantané au chocolat (pour 4 personnes).

Délice au chocolat

Porc au barbecue à la mijoteuse

Jambon à l'orange

À l'aide d'un couteau, retirer la peau et le gras du jambon, puis dessiner des losanges sur le dessus et les côtés du jambon. Dans une casserole, mélanger le jus d'orange, le zeste, la cassonade, le bâton de cannelle, les clous de girofle et le poivre. Laisser mijoter 15 minutes à feu moyen en brassant de temps à autre. Réserver. Déposer le morceau de jambon dans la mijoteuse. Couvrir et laisser mijoter 6 heures à basse température. Retirer le couvercle et enlever le gras accumulé dans le fond de la mijoteuse. Verser le mélange sur le jambon, couvrir et laisser mijoter entre 2 et 3 heures à haute intensité. Retirer le jambon de la mijoteuse et le placer sur une planche à découper. Laisser reposer 10 minutes et servir.

Ingrédients

1 morceau de jambon d'environ 7 lb

2 tasses de jus d'orange

1 c. à soupe de zeste d'orange

1 tasse de cassonade

1 bâton de cannelle

Clous de girofle

Poivre

Porc au barbecue à la mijoteuse

Dans un bol, mélanger le ketchup, la sauce chili, l'eau, le vinaigre de vin, le jus de citron, la sauce Worcestershire, la sauce piquante, la moutarde de Dijon, la poudre de chili, l'ail, la cassonade, le sel et le poivre. Placer les côtelettes dans la mijoteuse, et les couvrir avec les rondelles d'oignon et depoivrons. Verser la sauce par-dessus les oignons et les poivrons. Couvrir et laisser mijoter entre 6 et 8 heures à basse température. Servir

Ingrédients

2 lb de côtelettes de porc

1 oignon pelé et coupé en rondelles

1 poivron rouge coupé en rondelles

1 tasse de ketchup

2 c. à soupe de sauce chili

1/4 de tasse d'eau

2 c. à soupe de vinaigre de vin rouge

1 c. à soupe de jus de citron

- c. à thé de sauce Worcestershire

1/4 de c. à thé de sauce piquante

2 c. à thé de moutarde de Dijon

1 c. à thé de poudre de chili

1 gousse d'ail hachée

3 c. à soupe de cassonade

Sel et poivre

Macaroni au fromage à la mijoteuse

Mettre tous les ingrédients dans la mijoteuse et bien mélanger.
Couvrir et laisser mijoter 2 ou 3 heures à température élevée
en brassant de temps à autre.
Servir.

Ingrédients

3 tasses de macaronis cuits

1 c. à soupe de beurre

2 tasses de lait évaporé

3 tasses de fromage cheddar râpé

1/4 de tasse d'oignon haché

Sel et poivre

Poulet entier

Rouler le papier d'aluminium en 8 boules de 1 po (2,5 cm) et les déposer au
fond de la mijoteuse.
Passer le poulet sous l'eau puis l'éponger.
Dans un bol, mélanger tous les ingrédients.
Badigeonner tout le poulet avec le mélange, sans oublier l'intérieur.
Déposer le poulet sur les boules d'aluminium, couvrir et laisser
mijoter entre 6 et 8 heures à température élevée.
Servir

Ingrédients

1 poulet entier

1/4 de tasse de paprika

1 c. à soupe de cassonade

2 c. à thé de sel

1 c. à thé de sel de céleri

1 c. à thé de poivre

1 c. à thé de poivre de Cayenne

1 c. à thé de moutarde sèche

1 c. à thé de poudre d'ail

1 c. à thé de poudre d'oignon

Papier d'aluminium

Poulet entier

Patates pilées à l'ail

Placer les morceaux de pommes de terre au fond de la mijoteuse.

Ajouter l'eau, le beurre, l'ail, l'oignon, le sel et le poivre et mélanger pour que toutes les pommes de terre soient imbibées.

Couvrir et laisser mijoter entre 2 et 4 heures à température élevée.

Ajouter le lait et piler les pommes de terre à l'aide d'une fourchette.

Ajouter le fromage à la crème et piler de nouveau jusqu'à l'obtention de la texture désirée.

Servir.

Ingrédients

6 pommes de terre pelées et coupées en morceaux

5 gousses d'ail hachées

1 oignon pelé et haché

2 c. à soupe d'huile d'olive

2/3 de tasse d'eau

1 tasse de fromage à la crème

2 c. à soupe de beurre

1/2 tasse de crème 10 %

Sel et poivre

Lasagne à la mijoteuse

Dans une casserole, faire chauffer l'huile d'olive.

Ajouter le bœuf haché, l'ail et l'oignon et les faire revenir jusqu'à ce que le bœuf haché ait perdu sa teinte rosée.

Ajouter la sauce à spaghetti.

Dans un bol, mélanger la ricotta, le lait et l'œuf jusqu'à l'obtention d'une texture lisse. Ajouter du sel et du poivre.

Badigeonner de beurre les parois de la mijoteuse, puis couvrir le fond de sauce. Déposer une couche de pâte sur la sauce, puis 1/3 du mélange de ricotta et 1/4 de la sauce. Ajouter la mozzarella et le parmesan. Répéter l'opération deux autres fois.

Terminer avec une couche de sauce, de mélange de ricotta, de mozzarella puis de parmesan.

Couvrir et laisser mijoter entre 4 et 6 heures.

Servir.

Ingrédients

1 c. à soupe d'huile d'olive

1 lb de bœuf haché maigre

1 oignon pelé et coupé en morceaux

3 gousses d'ail hachées

1 pot de sauce à spaghetti ou de sauce tomate

1 paquet de pâtes à lasagne non cuites

1 1/2 tasse de mozzarella râpée

1 contenant (475 g) de ricotta

1 œuf

1/3 de tasse de lait

1 tasse de parmesan râpé

Sel et poivre

Lasagne à la mijoteuse

Riz sauvage à la mijoteuse

Chou-fleur gratiné à la mijoteuse

Badigeonner les bords de la mijoteuse de beurre.
Placer tous les ingrédients dans la mijoteuse et mélanger
afin que le chou-fleur soit bien imbibé.
Couvrir et laisser mijoter 5 heures à basse température.
Servir.

Ingrédients

3 tasses de riz cuit

1 tête de chou-fleur en morceaux

1 boîte de crème de champignons

1 tasse de champignons
de Paris tranchés

2 tasses de cheddar râpé

1/2 tasse d'eau

1 oignon pelé et coupé
en morceaux

Sel et poivre

Riz sauvage à la mijoteuse

Badigeonner de beurre les parois de la mijoteuse.
Passer le riz sous l'eau et bien égoutter.
Placer tous les ingrédients dans la mijoteuse et bien les mélanger.
Couvrir et laisser mijoter entre 2 et 4 heures à température élevée.
Servir.

Ingrédients

2 tasses de riz sauvage

1/2 tasse d'oignon pelé et haché

1 3/4 tasse de bouillon de poulet

1/2 tasse d'eau

1/2 tasse de champignons
en conserve tranchés, avec le jus

1 c. à thé de thym

Sel et poivre

Riz et brocoli au fromage

Poivrons et aubergines à la mijoteuse

Placer les rondelles d'aubergines, l'oignon, le poivron, les tomates, la pâte de tomate, les champignons, l'ail, le sucre, le vin, l'eau, le parmesan et l'origan dans la mijoteuse.
Bien mélanger pour que les légumes soient imbibés.
Couvrir et laisser mijoter entre 6 et 8 heures à basse température.
Ajouter les olives, les noix, le persil et assaisonner de sel et de poivre.
Servir.

Ingrédients

1 aubergine pelée et tranchée en rondelles de 1/2 po

1 oignon pelé et haché

1 poivron vert épépiné et coupé en morceaux

1 boîte (28 oz) de tomates à l'italienne coupées en deux

1 boîte (5,5 oz) de pâte de tomates

1/2 tasse de champignons de Paris tranchés

2 gousses d'ail hachées

1/4 de tasse de vin rouge

1/4 de tasse d'eau

1/2 tasse d'olives kalamata dénoyautées

1/2 tasse de parmesan râpé

1 c. à thé de sucre

1 c. à thé d'origan

3 c. à soupe de persil frais haché

2 c. à soupe de noix de pins

Sel et poivre

Riz et brocoli au fromage

Badigeonner les bords de la mijoteuse de beurre.
Placer le riz, le brocoli, les oignons, le lait évaporé et la crème de champignons dans la mijoteuse. Bien mélanger.
Ajouter le fromage cheddar.
Couvrir et laisser mijoter de 5 à 6 heures à basse température.

Ingrédients

1 tasse de riz instantané

4 tasses de brocoli congelé (dégelé)

1 1/2 tasse d'oignons pelés et hachés

1 boîte (12 oz) de lait évaporé

1 boîte de crème de champignons

1 1/4 tasse de cheddar fort râpé

Index

malins plaisirs

Des livres qui mettent l'eau à la bouche!

De la même collection, découvrez aussi :

Cocktails, punchs et sangrias

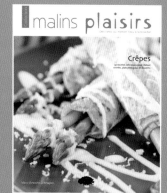

Crêpes

Sauces & trempettes

Vinaigrettes & marinades

Jus & smoothies

Cuisine réconfortante

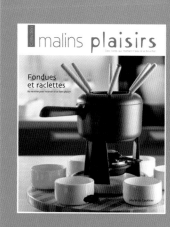

Fondues et raclettes

Soupes

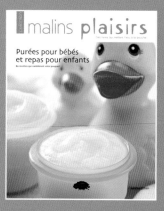

Purées pour bébés et repas pour enfants

malins plaisirs

Des livres qui mettent l'eau à la bouche!

Cuisine réconfortante

75 recettes à savourer entre amis et en famille!

Par Dominique Plamondon

les malins
éditions

Table des matières

Introduction

La collection Malins Plaisirs propose des livres de recettes qui vous mettront l'eau à la bouche!

Des recettes originales à la portée de tous, de superbes photos et des sujets variés : une collection parfaite pour toutes les cuisines, et toutes les bouches!

Redécouvrez le plaisir de bien manger en famille ou entre amis. Agneau braisé, jarrets de veau, spaghettis en sauce aux trois viandes et desserts savoureux : 75 recettes faites avec des ingrédients accessibles à tous.

Bon appétit!

Ingrédients

4 c. à soupe d'huile d'olive

1 kg (2 lb) de pommes de terre, tranchées finement

6 coeurs d'artichauts en conserve, égouttés et tranchés

4 gros chapeaux de champignons portobello, tranchés finement

1 bûche de fromage de chèvre frais, coupée en petits morceaux

Sel et poivre du moulin

3 gousses d'ail, dégermées et émincées

3 c. à soupe de parmesan, râpé

125 ml (1/2 tasse) de vin blanc

Gratin de pommes de terre, champignons portobello et artichauts

Préchauffez le four à 425 °F (220 °C). Enduisez d'huile l'intérieur d'un plat à gratin.

Étendez une couche de pommes de terre dans le fond du plat, puis la moitié de artichauts, puis la moitié des champignons. Parsemez de fromage de chèvre. Salez, poivrez, parsemez de la moitié de l'ail, puis de 1 c. à soupe de parmesan. Arrosez de 1 c. à soupe d'huile. Recouvrez du reste des champignons, puis des coeurs d'artichauts, du chèvre, de l'ail et de 1 c. à soupe de parmesan. Arrosez de 1 c. à soupe d'huile. Couronnez d'une couche de pommes de terre. Arrosez de vin et de 1 c. à soupe d'huile. Recouvrez de papier d'aluminium et laissez cuire 40 minutes.

Réduisez la température du four à 400 °F (200 °C).

Retirez le papier d'aluminium. Parsemer le dessus du gratin du reste de parmesan et laissez cuire 25 minutes ou jusqu'à ce que les pommes de terre soient tendres et légèrement dorées.

Ingrédients

1 gousse d'ail, coupée en deux

3 c. à soupe de beurre

1 kg (2 lb) de pommes de terre, pelées et coupées en fines rondelles

Sel et poivre noir du moulin

250 ml (1 tasse) de crème à 15 %, à cuisson

250 ml (1 tasse) de lait

Gratin dauphinois

Préchauffez le four à 350 °F (180 °C).
 Frottez un plat à gratin avec l'ail et beurrez-le généreusement.
Disposez-y les pommes de terre en 3 couches égales, salez et poivrez chaque couche et nappez-la de crème. Versez le lait jusqu'à hauteur des pommes de terre. Parsemez le gratin de noisettes de beurre.
Faites cuire au four environ 1 h 30 ou jusqu'à ce que les pommes de terre soient tendres (un couteau doit y pénétrer facilement).

Gratin dauphinois

Ingrédients

Sauce béchamel au parmesan :

112 g (1/2 tasse) de beurre

1 gousse d'ail, coupée en deux
et dégermée

57 g (1/2 tasse) de farine tout usage

500 ml (2 tasses) de lait

Une pincée de muscade

1 c. à soupe de parmesan râpé

Sel et poivre noir du moulin

Sauce italienne :

Huile d'olive

1 gousse d'ail, dégermée et écrasée

1/2 carotte râpée

Quelques tiges de persil, hachées

Le quart d'une tige de céleri,
hachée

1 boîte de 540 ml (19 oz) de
tomates coupées en cubes

1 poignée de feuilles de basilic

Farce et montage des cannellonis :

Environ 18 cannellonis pré-cuits
(de type Direct-au-four)

1 sac d'épinards frais

1 contenant de ricotta

1 oeuf battu

2 c. à soupe de parmesan râpé

Sel et poivre noir du moulin

Cannellonis farcis
aux épinards et à la ricotta

Préchauffez le four à 375 °F (190 °C).

Béchamel :

Dans une casserole, faites chauffer le beurre. Ajoutez l'ail et la farine, en remuant. En dehors du feu, versez le lait, remettez sur le feu et remuez jusqu'à épaississement. Incorporez la muscade et le parmesan. Salez et poivrez.

Sauce italienne :

Dans une poêle, faites chauffer l'huile. Faites-y dorer l'ail, la carotte, le persil et le céleri. Ajoutez les tomates et le basilic et laissez mijoter 20 minutes.

Farce et montage :

Mélanger les épinards, la ricotta, l'oeuf et le parmesan. Salez et poivrez.
En farcir les cannellonis et déposez dans un plat à four graissé. Arrosez de béchamel, puis de sauce italienne. Cuire de 30 à 40 minutes.

Cannellonis farcis
aux épinards et à la ricotta

Lasagne au pesto

Lasagne au pesto

Préchauffez le four à 375 °F (190 °C).

Pesto :

Réduisez les ingrédients en purée au robot culinaire.
Vérifiez l'assaisonnement et réservez.

Sauce béchamel :

Dans une grande poêle épaisse, faites fondre le beurre, sur feu moyen.
Ajoutez les échalotes et faites revenir quelques minutes. Ajoutez la farine
et fouettez jusqu'à homogénéité. Hors du feu, versez le lait. Cuisez jusqu'à
épaississement, en remuant. Incorporez la muscade, le sel et le poivre.
Laissez tiédir.

Faites cuire les lasagnes al dente, dans l'eau bouillante,
environ 12 minutes. Égouttez.
Pour qu'elles soient bien plates, étendez-les sur des linges
et percez-les à plusieurs endroits avec une fourchette.

Dans un petit bol, mélangez 250 ml (1 tasse) de pesto
avec le bouillon, conservez le reste du pesto pour un usage ultérieur.

Dans un plat à lasagne beurré, étendez 125 ml (1/2 tasse) de béchamel.
Recouvrez de lasagnes. Recouvrez de 250 ml (1 tasse) de béchamel.
Recouvrez du tiers du pesto. Parsemez 85 ml (1/3 tasse) de parmesan.
Répétez les opérations en terminant par 4 lasagnes, de la béchamel et
du parmesan râpé.

Couvrez lâchement la lasagne de papier d'aluminium et faites-la cuire
au four 30 minutes. Retirez le papier d'aluminium et faites-la cuire jusqu'à
ce qu'apparaissent des bouillons, environ 20 minutes.

Laissez reposer la lasagne 15 minutes et découpez-la en carrés.

Ingrédients

6 lasagnes (pâtes)
85 ml (1/3 tasse)
de bouillon de légumes
375 ml (1 1/2 tasse)
de parmesan râpé

Pesto :

500 ml (2 tasses)
de basilic frais, haché
250 ml (1 tasse) de parmesan râpé
125 ml (1/2 tasse) d'huile d'olive
4 c. à soupe de noix de pin
4 gousses d'ail, coupées
en deux et dégermées
Sel et poivre noir du moulin

Sauce béchamel :

1 bâton de beurre
2 échalotes sèches, émincées
57 g (1/2 tasse) de farine tout usage
1 litre (4 tasses) de lait entier
Muscade

Ingrédients

4 petites endives, parées

65 ml (1/4 tasse) de crème
à 35 %, à cuisson

1 c. à soupe de jus de citron,
fraîchement pressé

5 c. à soupe de beurre

Sel et poivre noir du moulin

2 c. à soupe de gruyère râpé

2 c. à soupe de parmesan râpé

1 c. à soupe de chapelure

3 c. à soupe de sauce béchamel

Gratin d'endives

Préchauffez le four à 375 °F (190 °C).

Dans une casserole épaisse beurrée, mettre les endives, la crème et le jus de citron. Parsemez de noisettes de beurre. Salez et poivrez. Couvrez et portez à ébullition, sur feu moyen-élevé.

Mettez la casserole au four et laissez braiser les endives jusqu'à ce qu'un couteau les transperce facilement, de 45 à 60 minutes.

Mélangez les fromages et la chapelure. Réservez.

Faites fondre le reste du beurre au micro-ondes et réservez-le.

À l'aide d'une écumoire, déposez les endives dans un plat à gratin beurré.

Nappez de béchamel, parsemez du mélange fromage et chapelure et arrosez de beurre fondu.

Déposez le gratin sur une plaque et faites cuire au four jusqu'à ce que le dessus soit doré, de 7 à 10 minutes.

Ingrédients

6 grosses tomates mûres, mais fermes

90 g (1/2 tasse) de riz

1 c. à soupe d'origan frais, haché

1 c. à soupe de marjolaine fraîche, hachée

1 c. à soupe de menthe fraîche, hachée

1 c. à soupe de persil, haché

65 ml (1/4 tasse) d'huile d'olive

Sel et poivre noir du moulin

Tomates farcies au riz, à l'italienne

Préchauffez le four à 350 °F (180 °C).

Coupez un chapeau sur chaque tomate.

Retirez la pulpe des tomates, en laissant environ 1/2 po (2 cm) de chair autour et mettez-la dans un bol. Ajoutez-y le riz, les herbes, 3 c. à soupe d'huile, du sel et du poivre. Réservez à température ambiante 30 minutes pour que s'amalgament les saveurs.

Salez l'intérieur des tomates et retournez-les sur des essuie-tout pour qu'elles laissent échapper leur eau, 30 minutes.

Égouttez la préparation à base de la pulpe des tomates, conservez le liquide. Farcissez les tomates de cette préparation. Remettez les chapeaux sur les tomates et disposez-les dans un plat à four huilé.

Laissez cuire ces tomates farcies au four 1 heure ou jusqu'à ce que le riz soit cuit, en cours de cuisson, arrosez le riz de liquide tomaté, si nécessaire, pour ne pas qu'il sèche.

Tomates farcies au riz, à l'italienne

Agneau à la grecque

Agneau à l'aubergine

Coupez les aubergines en tranches minces. Pour les faire dégorger, parsemez-les de gros sel et attendez au moins 30 minutes. Puis, à l'aide de papier absorbant, enlevez l'eau qui sera sortie du légume. Cette opération n'est pas obligatoire, mais elle évitera qu'il y ait trop de liquide dans le plat. Préparez un coulis de tomate. Pour ce faire, plongez dans l'eau bouillante les tomates bien mûres. Au bout de 30 secondes, égouttez-les et passez-les à l'eau froide. Pelez et épépinez-les. Passez la pulpe au robot. Puis, mettez le coulis dans une casserole, salez et poivrez. Amenez à ébullition. Réservez.

Préchauffez le four à 350 °F (180 °C). Dans une poêle, faites revenir les côtelettes dans l'huile d'olive. Salez et poivrez. Réservez.

Passez les tranches d'aubergine dans la chapelure puis faites-les dorer dans la graisse que les côtelettes auront laissée. Salez et poivrez. Réservez.

Dans une cocotte allant au four, alterner des étages de tranches de gigot et de tranches d'aubergine. Mouiller du coulis de tomate. Ajoutez les gousses d'ail épluchées, mais laissées entières. Couvrez et faites cuire au four à 350 °F (180 °C) pendant 1 heure.

Ingrédients

6 tranches de gigot d'agneau

1 grosse ou 2 petites aubergines

50 g (1 tasse) de chapelure

20 tomates italiennes

3 gousses d'ail

Sel et poivre

Huile d'olive

Agneau à la grecque

Préchauffez le four à 350 °F (180 °C).
Hachez l'ail. Pelez les tomates et coupez-les en dés. Dégraissez l'agneau. Déposez les morceaux d'agneau dans un grand plat à rôtir. Ajoutez l'ail, les tomates, l'origan, le sel et le poivre. Mouillez de 250 ml (1 tasse) d'eau chaude et enfournez. Laissez cuire 1 h 30 en arrosant à deux reprises.
Ajoutez ensuite 3 tasses (750 ml) d'eau ainsi que les pâtes. Salez et poivrez. Mélangez bien et remettez au four pendant 30 à 40 minutes. Saupoudrez de parmesan râpé.

Ingrédients

1,5 kg (3 lb) d'épaule d'agneau coupée en cubes de grosseur moyenne

5 gousses d'ail

1 boîte de tomates italiennes (796 ml ou 28 oz)

Huile d'olive

5 ml d'origan frais ou séché

400 g (2 tasses) de pâtes de type orzo (langues d'oiseau)

60 g (2 oz) de parmesan

Sel et poivre

Agneau aux petits pois

Agneau aux fruits secs

Faites tremper les abricots, les pruneaux et les raisins secs dans un grand bol de thé vert.

Dans une petite casserole, faites fondre le sucre dans 500 ml (2 tasses) d'eau, avec l'eau de fleur d'oranger et le safran.

Amenez à ébullition puis baissez à feu doux.

Dégraissez les morceaux d'agneau. Émincez les oignons.

Dans une grande cocotte, faites chauffer l'huile d'olive.

Déposez-y les morceaux d'agneau. Une fois qu'ils sont dorés sur toutes leurs faces, retirez-les et réservez.

Dans le gras de cuisson, faites revenir les oignons. Une fois qu'ils sont tombés, placez les morceaux d'agneau par-dessus. Puis, versez le sirop.

Ajoutez les fruits secs non égouttés.

Laissez mijoter doucement pendant 1 heure.

Pendant ce temps, faites dorer les pignons (ou les amandes) dans une poêle antiadhésive, sans ajouter de gras.

Servez l'agneau sur un lit de riz basmati et saupoudrez des pignons ou des amandes.

Ingrédients

1,5 kg (3 lb) d'épaule d'agneau désossée et découpée en cubes de grosseur moyenne

2 oignons

6 abricots secs

6 pruneaux

150 g (1 1/4 tasse) de raisins secs dorés

Thé vert

200 g (1 tasse) de sucre

15 ml d'eau de fleur d'oranger

1 pincée de safran

100 g (3/4 tasse) de pignons ou d'amandes

Huile d'olive

Sel et poivre

Agneau aux petits pois

Émincez l'oignon, tranchez les carottes en rondelles et hachez la ciboulette.

Dans une grande cocotte, faites revenir la viande dans l'huile d'olive.

Quand ils sont bien dorés, retirez les morceaux de la cocotte, et faites-y revenir l'oignon.

Lorsque l'oignon est tombé, ajoutez les carottes et laissez revenir quelques minutes.

Placez l'agneau par-dessus et ajoutez le jus de citron, le bouillon de volaille et la ciboulette. Salez et poivrez. Laissez mijoter à couvert pendant 45 minutes.

Ajoutez les petits pois et laissez cuire pendant une vingtaine de minutes supplémentaires.

Ingrédients

5 kg (3 lb) d'épaule d'agneau désossée et coupée en morceaux de grosseur moyenne

1 gros oignon

6 brins de ciboulette

3 carottes

1 citron

1 litre (4 tasses) de bouillon de volaille

1 kg (2 lb) de petits pois (frais ou congelés)

Huile d'olive

Sel et poivre

Ingrédients

1,5 kg (3 lb) d'épaule d'agneau désossée

25 cl (1 tasse) de vin blanc sec

6 gousses d'ail

1 citron bio

5 branches de thym frais

1 oignon espagnol

15 ml (1 c. à soupe) de piments séchés broyés

12 tomates italiennes bien mûres

350 ml (1 1/3 tasse) de bouillon de volaille

6 poivrons rouges

Huile d'olive

Sel et poivre

Agneau aux poivrons

Découpez l'épaule d'agneau en cubes d'environ 4 cm de côté. Hachez l'oignon et l'ail.

Préparez une marinade avec le vin blanc, l'huile d'olive, 3 gousses d'ail, le zeste du citron et le thym frais. Versez dans un grand sac de plastique refermable et ajoutez les morceaux d'agneau. Fermez le sac hermétiquement et laissez au réfrigérateur pendant 12 heures.

Préparez un coulis de tomate. Pour ce faire, plongez les tomate dans l'eau bouillante. Au bout de 30 secondes, égouttez-les et passez-les à l'eau froide. Pelez et épépinez-les.

Passez la pulpe au robot. Puis, mettez ce coulis dans une casserole, salez et poivrez. Amenez à ébullition. Réservez.

Sortez les cubes de viande de la marinade et épongez-les soigneusement. Réservez la marinade.

Dans une grande cocotte, faites revenir l'agneau dans l'huile d'olive. Une fois les morceaux dorés sur toutes leurs faces, réservez-les.

Dans la cocotte, faites revenir l'oignon avec 3 gousses d'ail et les piments broyés. Vous pouvez ajouter de l'huile d'olive si besoin. Versez la marinade et amenez à ébullition. Baissez le feu et ajoutez les morceaux d'agneau, le coulis de tomates et le bouillon. Salez et poivrez. Laissez mijoter doucement pendant 1 heure.

Pendant ce temps, mettez vos poivrons coupés en deux et épépinés sur une tôle et passez-les au gril jusqu'à ce que leur peau noircisse. Sortez-les et mettez-les immédiatement dans un sac de papier. Attendez une dizaine de minutes : leur peau se détachera presque d'elle-même. Une fois pelés, découpez-les en lanières. Lorsque la viande cuit depuis 1 heure, ajoutez-les à la cocotte. Poursuivez la cuisson encore 30 minutes.

Parsemez de persil ciselé.

Agneau aux poivrons

Gigot aux 40 gousses d'ail

Agneau du Devonshire

Coupez les pommes de terre en morceaux de la taille d'une noix de Grenoble. Tranchez les champignons, coupez les carottes en tronçons, pelez les échalotes, que vous laisserez entières.

Dans une sauteuse, faites fondre le beurre. Une fois qu'il est chaud, mais pas coloré, ajoutez la viande. Une fois dorée, retirez-la et mettez-la dans une cocotte allant au four.

Mettez les pommes de terre, les échalotes et les carottes dans la sauteuse et faites-les revenir quelques minutes.

Déposez les légumes par-dessus la viande.

Mélangez le cidre et le bouillon au jus de cuisson de la sauteuse. Amenez à ébullition puis versez sur la viande et les légumes.

Salez et poivrez. Ajoutez le bouquet garni, couvrez et laissez mijoter 45 minutes. Ajoutez les petits pois. Laissez cuire encore 15 minutes. Ajoutez la crème, puis faites chauffer 5 minutes, sans laisser bouillir.

Parsemez de persil ciselé.

Ingrédients

6 côtelettes d'agneau épaisses

500 g (1 lb) de pommes de terre nouvelles

8 champignons de Paris

8 petites carottes

8 échalotes

1 bouquet garni

25 g (1 oz) de beurre

150 ml (2/3 tasse) de cidre

150 ml (2/3 tasse) de bouillon de volaille

125 g (1/4 lb) de petits pois (frais ou congelés)

75 ml (1/3 tasse) de crème 35 %

30 ml (2 c. à soupe) de persil plat

Sel et poivre

Gigot aux 40 gousses d'ail

Préchauffez le four à 450 °F (230 °C).

Pelez 3 gousses d'ail et coupez-les en 4. Hachez finement le romarin. Déposez le gigot dans un plat allant au four. Piquez-le d'ail, badigeonnez-le d'huile d'olive et parsemez-le de romarin. Salez et poivrez.

Faites blanchir (2 à 3 minutes) le reste des gousses d'ail en chemise.

Pelez les pommes de terre et coupez chacune en 8 quartiers.

Disposez les pommes de terre et les gousses d'ail en chemise tout autour du gigot. Arrosez d'un filet d'huile d'olive et de romarin finement haché. Salez et poivrez.

Enfournez et, au bout de 30 minutes, baissez le feu à 350 °F (175 °C).

Laissez cuire encore 45 minutes pour un gigot rosé.

Ingrédients

1 gigot d'agneau de 2 kg (4 lb)

40 gousses d'ail

6 branches de romarin

Huile d'olive

6 pommes de terre

Ingrédients

1,5 kg (3 lb) d'épaule d'agneau
désossée, dégraissée,
coupée en petits cubes

375 ml (1 1/2 tasse) de yaourt

3 oignons

4 gousses d'ail

15 ml (1 c. à soupe) de gingembre
frais haché

Quelques feuilles de menthe

5 ml (1 c. à café) de graines de
cardamome

5 ml (1 c. à café) de cannelle

5 ml (1 c. à café) de grains
de poivre noir

5 ml (1 c. café) de graines de cumin

5 ml (1 c. café) de piment séché

1 pincée de safran

80 g (1 tasse) d'amandes
tranchées

60 g (1/2 tasse) de raisins
secs dorés

Huile de canola

Sel et poivre

Cari d'agneau

Dans une grande cocotte, mélangez le yaourt à 500 ml (2 tasses) d'eau. Laissez frémir, puis plongez-y la viande et laissez cuire pendant 10 minutes. Réservez la viande et le liquide séparément.

Pelez et émincez les oignons, puis, dans une sauteuse, faites-les revenir dans l'huile de canola.

Hachez finement l'ail, le gingembre et les feuilles de menthe. Ajoutez aux oignons.

Dans un mortier ou au robot, réduisez en poudre la cardamome, la cannelle, le poivre, le cumin, le piment, le safran. Ajoutez aux oignons.

Déposez la viande sur les oignons. Puis, versez le liquide.

Laissez cuire à feu moyen jsuqu'à ce que la viande soit tendre et la sauce courte, environ 1 heure.

Faites dorer les amandes dans une poêle antiadhésive (sans gras) et faites tremper les raisins dans un peu d'eau. Avant de servir, garnissez-en le cari.

Cari d'agneau

Gigot à la gremolata

Gigot à la charmoula

Préparez la charmoula.

D'abord, hachez finement l'oignon, l'ail, le persil et la coriandre. Dans un grand bol, mélangez ces ingrédients et ajoutez le cumin, le safran, le ras al-hanout, la harissa, le jus de citron et l'huile d'olive. Laissez reposer 1 heure. Enduisez le gigot de la charmoula et laissez mariner deux heures au réfrigérateur, couvert d'une pellicule plastique.

Préchauffez le four à 400 °F (200 °C). Enfournez le gigot et laissez cuire pendant environ 1 heure, en arrosant fréquemment du jus de cuisson.

Le ras-el-hanout :

Le ras-el-hanout est un mélange d'épices en poudre utilisé dans la cuisine nord-africaine qui serait dit-on, aphrodisiaque ! La recette varie, mais il contient en général de la cannelle, des clous de girofle, du poivre noir, des graines de coriandre, de la cardamome, du cumin, du curcuma, du gingembre, des piments forts et des boutons de rose séchés. Son nom signifie « toit de la boutique ».

Ingrédients

1 gigot d'agneau de 2 kg (4 lb)

1 oignon espagnol

3 gousses d'ail

75 ml (1/4 tasse) de persil plat

1/4 tasse de coriandre fraîche

5 ml de cumin en poudre

1 pincée de safran

5 ml (1 c. à café) de ras-el-hanout

5 ml (1 c. à café) de harissa

Le jus de 1 citron

50 ml (3 c. à soupe) d'huile d'olive

Gigot à la gremolata

Passez sous le gril des tranches de pain de mie afin qu'elle blondissent, puis broyez-les au mortier ou au robot. Vous pouvez aussi utiliser de la chapelure déjà préparée.

Préchauffez le four à 350 °F (180 °C).

Pour faire la gremolata :

pelez l'ail, prélevez le zeste des citrons et hachez-les finement avec le persil ; mélangez dans un bol ces ingrédients à la chapelure et à l'huile d'olive ; salez et poivrez. Épongez bien le gigot et étendez la gremolata sur toute sa surface. Enfournez et laissez cuire pendant 1 heure. Arrosez du jus de cuisson à plusieurs reprises.

Ingrédients

1 gigot de 2 kg (4 lb)

1 pain de mie ou 100 g (2 tasses) de chapelure

8 gousses d'ail

Le zeste de 3 citrons bio

1 bouquet de persil plat

60 ml (4 c. à soupe) d'huile d'olive

Sel et poivre

Gigot au citron et à l'ail

Pelez et hachez l'ail. Prélevez le zeste du citron et extrayez-en le jus.
Hachez finement le romarin. Dans un grand bol, mélangez l'ail, le zeste et le
jus de citron et 60 ml (4 c. à soupe) de romarin à 45 ml (3 c. à soupe) d'huile
d'olive.

Enduisez bien toutes les faces du gigot de la marinade, couvrez d'une
pellicule plastique et laissez reposer au réfrigérateur pendant 12 heures.
Pelez les pommes de terre et coupez chacune en 8 quartiers.
Préchauffez le four à 450 °F (230 °C). Une fois le four chaud, mettez-y le
gigot et laissez cuire 15 minutes.

Disposez les pommes de terre autour du gigot, arrosez d'un filet d'huile
d'olive et des 30 ml (2 c. à soupe) de romarin restants, salez et poivrez.
Baissez le four à 350 °F (180 °C) et laissez cuire 1 heure.

Ingrédients

1 gigot de 2 kg (4 lb)

3 gousses d'ail

1 citron bio

90 ml (6 c. à soupe) de romarin frais

6 pommes de terre

Huile d'olive

Sel et poivre

Gigot au sirop d'érable

Préchauffez le four à 350 °F (180 °C).

Versez tous les ingrédients dans un grand bol. Mélangez afin d'obtenir une
sauce homogène.

Épongez la viande. Enduisez-la de la sauce.

Enfournez et laissez cuire 1 heure.

Ingrédients

1 gigot de 2 kg (4 lb)

5 ml (1 c. à café) de moutarde
sèche

1 gousse d'ail

5 ml (1 c. à café) de sauge séchée

10 ml (2 c. à café) de sauce
Worcestershire

2,5 ml (1/2 c. à café) de menthe
séchée

Le jus de 1/2 citron

125 ml (1/2 tasse) de sirop d'érable

30 ml (2 c. à soupe) d'eau

Gigot au sirop d'érable

Pain de viande d'agneau

Ingrédients

1,5 kg (3 lb) d'agneau haché

1 pain de mie

2 oignons

4 gousses d'ail

Le jus de 1 citron vert

5 ml (1 c. à café) de coriandre moulue

5 ml (1 c. à café) de cumin moulu

5 ml (1 c. à café) de poivre de cayenne

1 yaourt nature (portion individuelle)

1 oeuf

Huile d'olive

Sel et poivre

Coupez le pain de mie en tranches et passez ces dernières sous le gril jusqu'à ce qu'elles blondissent. Retirez du four et écrasez à l'aide d'un mortier ou d'un robot afin d'obtenir une chapelure fine.

Préchauffez le four à 350 °F (180 °C).

Hachez finement l'oignon et l'ail. Dans une poêle, faites-les revenir dans de l'huile d'olive. Lorsqu'ils sont tombés, mettez-les dans un grand bol.

Ajoutez l'agneau haché, les épices, la chapelure ainsi que le jus de citron, l'oeuf légèrement battu et le yaourt. Mélangez bien afin d'obtenir une pâte homogène.

Mettez dans un moule à pain de viande que vous aurez préalablement huilé avec de l'huile d'olive. Enfournez et laissez cuire 45 minutes.

Poitrine d'agneau farcie

Ingrédients

1 poitrine d'agneau désossée

350 g (3/4 lb) de porc haché

350 g (3/4 lb) de chair à saucisse

13 gousses d'ail

Persil

6 pommes de terre

1 verre de vin blanc sec

Beurre

Huile d'olive

Sel et poivre

Préparer une farce dans un grand bol en mélangeant le porc haché et la chair à saucisse, 3 gousses d'ail écrasées et quelques branches de persil hachées.

Étalez sur la surface de travail la poitrine d'agneau et épongez-la soigneusement. Mettez la farce sur toute la surface, puis roulez la pièce de viande. Maintenez-la solidement attachée avec de la ficelle de cuisine.

Dans une grande cocotte allant au four, faites revenir l'agneau dans du beurre afin qu'il soit doré sur tous ses côtés.

Ajoutez autour les pommes de terre, que vous aurez coupées en 8 quartiers, et une dizaine de gousses d'ail en chemise. Arrosez d'un filet d'huile d'olive, de sel et de poivre puis enfournez à 350 °F (180 °C) pendant 1 heure.

Parsemez de persil ciselé avant de servir et arrosez du jus de cuisson que vous aurez déglacé avec un verre de vin blanc.

Poitrine d'agneau farcie

Tajine au miel

Ragoût d'agneau à la scarole

Préparer une farce dans un grand bol en mélangeant le porc haché et la chair à saucisse, 3 gousses d'ail écrasées et quelques branches de persil hachées.

Étalez sur la surface de travail la poitrine d'agneau et épongez-la soigneusement. Mettez la farce sur toute la surface, puis roulez la pièce de viande. Maintenez-la solidement attachée avec de la ficelle de cuisine. Dans une grande cocotte allant au four, faites revenir l'agneau dans du beurre afin qu'il soit doré sur tous ses côtés. Ajoutez autour les pommes de terre, que vous aurez coupées en 8 quartiers, et une dizaine de gousses d'ail en chemise. Arrosez d'un filet d'huile d'olive, de sel et de poivre puis enfournez à 350 °F (180 °C) pendant 1 heure. Parsemez de persil ciselé avant de servir et arrosez du jus de cuisson que vous aurez déglacé avec un verre de vin blanc.

Ingrédients

1,5 kg (3 lb) d'épaule d'agneau, coupée en gros cubes

2 oignons

3 carottes

4 pommes de terre

1/2 bouteille de vin rouge

2 tasses de bouillon de volaille

1 scarole

Huile d'olive

Sel et poivre

Tajine au miel

Épluchez les oignons grelots. Épluchez l'oignon espagnol et émincez-le. Dans une grande cocotte allant au four, versez 2 L d'eau. Ajoutez l'oignon espagnol, la moitié du miel, le bouquet garni, le gingembre et le safran. Salez et poivrez. Portez à ébullition. Plongez-y les cubes de viande et baissez le feu. Laissez mijoter doucement pendant 30 minutes. Préchauffez le four à 350 °F (180 °C). Retirez les morceaux de viande et faites réduire le bouillon de moitié. Si vous possédez un tajine, mettez-y la viande et arrosez du bouillon. Sinon, remettez la viande dans la cocotte. Ajoutez les oignons grelots. Couvrez et enfournez. Laissez cuire 1 heure. Retirez du four et ajoutez le reste du miel et les pruneaux. Remettez au four pendant 20 minutes.

Ingrédients

2 kg d'épaule d'agneau désossée, coupée en petits cubes

1 oignon espagnol

20 oignons grelots

350 g (1 3/4 tasse) de pruneaux

250 g (3/4 tasse) de miel

1 bouquet garni

5 ml de gingembre en poudre

1 pincée de safran

Sel et poivre

Ingrédients

57 g (1/2 tasse) de farine

2 lb de bœuf (haut de surlonge, désossé), coupé en lanières

1 c. à soupe de beurre

2 c. à soupe d'huile d'olive

1 gros oignon, haché

3 grosses échalotes françaises, hachées

227 g de champignons de Paris tranchés

2 grosses tomates pelées, épépinées et coupées en petits morceaux

250 ml (1 tasse) de porto

1 boîte de 284 ml (10 oz) de consommé, non dilué

Ingrédients

Huile d'olive

1 oignon, coupé en cubes

1 carotte, coupée en cubes

1 poireau, coupé en cubes

1 tige de céleri, coupée en cubes

2 gousses d'ail, dégermées et écrasées

1 contenant de champignons, tranchés

450 g (1 lb) de bœuf à braiser, coupé en cubes

Farine tout usage

2 tiges de thym

3 tasses de bouillon de bœuf

2 c. à soupe de concentré de tomates

Bœuf au porto

Préchauffez le four à 350 °F (180 °C).

Mettez la farine et le bœuf dans un sac de papier. Secouez le sac pour enrober la viande de farine.

Retirez l'excédent de farine de la viande. Dans un faitout, faites-la dorer, à feu moyen-élevé, dans le beurre et l'huile, une dizaine de minutes. Retirez la viande de la casserole et réservez.

Dans la même casserole, faites revenir les oignons et les échalotes jusqu'à ce qu'ils soient transparents. Incorporez les champignons et faites cuire 3 minutes. Incorporez les tomates et faites cuire 2 minutes. Remettez la viande dans la casserole. Versez le porto et le consommé. Remuez et couvrez.

Faites cuire au four 45 minutes ou jusqu'à tendreté de la viande.

Au moment de servir, vérifiez l'assaisonnement.

N.B. On peut remplacer le porto par du madère ou par du vin rouge.

Casserole bœuf et légumes

Dans une grande casserole, faites chauffer l'huile. Faites-y dorer l'oignon, la carotte, le poireau, le céleri et l'ail. Ajoutez les champignons et faites-les dorer. Retirez les légumes et réservez-les.

Enrobez le bœuf de farine. Dans la même casserole, ajoutez de l'huile, faites-la chauffer et faites-y dorer la viande.

Remettez les légumes dans la casserole. Ajoutez le thym, le bouillon et le concentré de tomates. Remuez et assaisonnez. Baissez le feu et laissez mijoter 1 h 30 ou jusqu'à tendreté de la viande.

Casserole bœuf et légumes

Cigares au chou

Cigares au chou

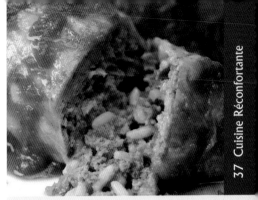

Farce :

Dans une grande poêle, faites fondre les oignons dans l'huile, puis faites-y dorer la viande. Déposez le tout dans un grand bol. Incorporez le reste des ingrédients de la farce.

Cigares au chou :

Effeuillez le chou, jetez les feuilles les plus dures. Coupez les feuilles restantes en deux et retirez la nervure centrale. Faites blanchir ces feuilles environ 2 minutes dans l'eau bouillante salée. Égouttez-les. Répartissez la farce dans chaque feuille et enroulez délicatement. Dans une cocotte épaisse, faites revenir l'oignon dans l'huile. Y disposez les cigares. Diluez la sauce tomates dans l'eau. Ajoutez le jus du citron, le cumin, le sel et le poivre. Versez sur les feuilles de chou. Arroser d'un filet d'huile et parsemez d'ail haché. Couvrez et portez à ébullition. Baissez le feu et laissez mijoter 1 heure ou jusqu'à ce que les cigares au chou soient à point. Goûtez et rectifiez l'assaisonnement.

Ingrédients

Farce :

2 oignons, émincés

750 g (1 1/2 lb) de bœuf haché, mi-maigre

210 g (1 tasse) de riz cuit

Jus de 4 citrons

1 c. à soupe de sauce tomate

1 bouquet de persil, haché

Huile d'olive

Sel et poivre du moulin

Cigares au chou :

1 chou vert, frisé

1 oignon, émincé

Huile

Sauce :

1 c. à soupe de sauce tomate

375 ml (1 1/2 tasse) d'eau

Jus de 1 citron

1 pincée de cumin moulu

Sel et poivre du moulin

Huile

3 gousses d'ail, grossièrement hachées

Roulades de bœuf aux champignons

Roulades de bœuf aux champignons

Préchauffez le four à 350 °F (180 °C).

Mettez les tranches de bœuf entre 2 feuilles de pellicule plastique et aplatissez-les à l'aide d'un maillet pour qu'elles soient d'égale épaisseur. Réservez-les

Farce :

Dans une grande poêle, faites fondre 1 c. à soupe de beurre et 1 c. à soupe d'huile. Faites-y revenir l'oignon haché jusqu'à ce qu'il soit transparent. Salez et poivrez. Faites-y revenir les champignons jusqu'à évaporation de leur liquide et incorporez le persil. Déposez dans un bol.

Répartissez cette farce dans les tranches de viande, parsemez de chapelure et enroulez-les.

Attachez les bouts à l'aide de petites brochettes.

Dans la poêle, faites fondre 1 c. à soupe d'huile et 1 c. à soupe de beurre. Faites-y dorer les roulades de bœuf. Disposez dans un plat à four pouvant les contenir en une couche.

Dans une petite poêle, faites chauffer le reste de l'huile et du beurre. Faites-y revenir l'oignon tranché et l'ail. Incorporez la sauce tomate et le vin et réchauffez le tout. Nappez-en les roulades.

Couvrez de papier d'aluminium et faites cuire au four environ 1 h 15.

Retirez les petites brochettes et servez.

Ingrédients

1 kg (2 lb) de bœuf d'intérieur de ronde pour roulades (tranches de 1/4 po (0,5 cm)

3 c. à soupe de beurre doux

4 c. à soupe d'huile d'olive

1 oignon, moitié haché, moitié tranché

Sel et poivre du moulin

500 g (1 lb) de champignons, finement hachés

250 ml (1 tasse) de persil haché

65 ml (1/4 tasse) de chapelure

2 gousses d'ail, émincées

1 boîte de 398 ml (14 oz) de sauce tomate

125 ml (1/2 tasse) de vin blanc

Ingrédients

250 ml (1 tasse) de bouillon

1 sachet de champignons porcini, séchés

Sel et poivre noir du moulin

1 pointe de poitrine de bœuf, désossée de 2 kg (4 lb)

2 c. à soupe d'huile

1 gros oignon, haché

2 tiges de céleri, tranchées mince

3 gousses d'ail, dégerméeset écrasées

1 c. à soupe de feuilles de marjolaine, hachées + tiges de marjolaine pour garnir

1 boîte de tomates entières de 796 ml (28 oz), égouttées

250 ml (1 tasse) de vin rouge

Pot-au-feu au vin rouge et aux porcini

Préchauffez le four à 300 °F (150 °C)

Dans une casserole, faites mijoter le bouillon et retirez du feu. Ajoutez les champignons, couvrez et laissez-les se réhydrater une vingtaine de minutes. À l'aide d'une écumoire, déposez les champignons sur une planche à découper et hachez-les. Réservez les champignons et le bouillon séparément.

Salez et poivrez le bœuf. Dans la casserole, faites chauffer l'huile, sur feu élevé et faites-y dorer le bœuf. Mettez la viande dans une assiette et réservez-la.

Dans la casserole, faites caraméliser l'oignon et le céleri, salés et poivrés. Ajoutez l'ail, la marjolaine hachée et les porcini et faites-les sauter. Incorporez les tomates et brisez-les. Laissez cuire quelques minutes, en remuant et en décollant les sucs de cuisson, avec une cuillère de bois. Versez le vin et portez à ébullition 5 minutes. Tamisez le liquide de trempage les champignons et versez dans la cocotte. Portez à ébullition 5 minutes. Retournez le bœuf dans la cocotte, couvrez et laissez cuire au four pendant 1 h 30. Retournez la viande et laissez cuire pendant 1 h 30. Mettez le bœuf sur une planche à découper et recouvrez-le d'une tente de papier d'aluminium.

Dégraissez le liquide de cuisson et portez-le à ébullition. Laissez bouillir jusqu'à ce qu'il ait réduit à environ 1 litre (4 tasses). Salez et poivrez. Tranchez la viande. Déposez-la dans une assiette de service, nappez-la de sauce et garnissez-la de tiges de marjolaine.

Pot-au-feu au vin rouge et aux porcini

Filet de bœuf aux shitakés

Bœuf miroton

Préchauffez le four à 450 °F (230 °C).

Coupez le boeuf bouilli en tranches fines.

Disposez-les dans un grand plat à rôtir, en les faisant se chevaucher.

Réservez. Épluchez et hachez finement les oignons.

Dans une grande poêle, faites chauffer l'huile d'olive.

Quand elle est bien chaude, faites suer les oignons.

Saupoudrez de farine et mélangez bien. Faites blondir.

Ajoutez le bouillon. Portez à ébullition, puis nappez-en le boeuf.

Couvrez de la chapelure et enfournez. Laissez gratiner
(environ 10 minutes).

7. Parsemez du persil ciselé.

Ingrédients

2 kg de boeuf bouilli

2 oignons

30 ml (2 c. à soupe) de beurre

15 ml (1 c. à soupe) de farine

500 ml (2 tasses)
de bouillon de boeuf

Huile d'olive

Quelques branches de persil ciselé

Sel et poivre

Filet de bœuf aux shitakés

Dans un grand saladier, recouvrez le filet de boeuf du vin blanc
et ajoutez le bouquet garni. Couvrez d'une pellicule plastique et laissez
mariner au réfrigérateur pendant 12 heures.

Préchauffez le four à 325 °F (160 °C).

Épluchez les échalotes et coupez-les en brunoise
avec les shitakés et le persil.

Dans une poêle, faites revenir cette brunoise dans une noix de beurre.
Salez et poivrez. Laissez cuire une dizaine de minutes. Retirez du feu.

Retirez la viande de la marinade et épongez-la soigneusement.

Pratiquez une fente sur toute la longueur du filet afin d'y mettre
le mélange à base de shitakés.

Ficelez le morceau de viande afin qu'il demeure bien fermé.

Placez la viande dans un plat à rôtir. Salez et poivrez. Disposez des noix
de beurre sur le dessus. Mouillez de la marinade (sans le bouquet garni).

Enfournez et laissez cuire 25 minutes.

Ingrédients

1,5 kg (3 lb) de filet de boeuf

250 ml (1 tasse) de vin blanc sec.

1 bouquet garni

3 échalotes françaises

100 g (1 1/2 tasse) de shitakés

30 ml (2 c. à soupe) de persil haché

Beurre

Bœuf à la Guiness

Ingrédients

3 lb de poitrine de boeuf ficelée

500 ml (2 tasses) de bière Guiness

2 oignons

4 carottes

4 panais

1 feuille de laurier

15 ml (1 c. à soupe) de thym frais

5 ml (1 c. à café) de concentré de tomates

500 ml de bouillon de boeuf

Préchauffez le four à 375 °F (190 °C).

Pelez les oignons et coupez-les en gros dés. Pelez les carottes, les pommes de terre et les panais et coupez-les en tronçons.

Dans une grande cocotte allant au four, faites revenir le boeuf pour qu'il soit bien doré de tous les côtés.

Ajoutez les oignons.

Quand les oignons commencent à colorer, ajoutez les carottes, les pommes de terre et les panais. Faites revenir 4 minutes.

Diluez le concentré de tomates dans un peu d'eau chaude. Ajoutez à la viande, avec la bière, le bouillon, le laurier et le thym. Salez et poivrez.

Enfournez et laissez cuire 1 heure.

Bœuf aux poivrons

Ingrédients

1,5 kg (3 lb) de rôti de boeuf

4 poivrons rouges

1 petit piment fort

4 gousses d'ail

15 ml (1 c. à soupe) d'origan rais ou séché

2 oignons

15 ml (1 c. à soupe) de concentré de tomates

250 ml (1 tasse) de vin rouge

250 ml (1 tasse) de bouillon de boeuf

Préchauffez le four à 350 °F (180 °C).

Épluchez les oignons et coupez-les en 8 quartiers.

Pelez les poivrons : pour ce faire, faites-les noircir sous le gril. Puis, mettez-les dans un sac de plastique. Au bout de 10 minutes, sortez-les : la peau s'enlèvera d'elle-même.

Coupez les poivrons en languettes et hachez le piment.

Dans une grande cocotte allant au four, faites revenir la viande pour qu'elle soit dorée de tous les côtés.

Ajoutez les oignons.

Quand les oignons sont dorés, ajoutez les poivrons, le piment, les gousses d'ail en chemise, le concentré de tomates dilué dans un peu d'eau chaude, le bouillon et le vin. Assaisonnez de l'origan. Salez et poivrez.

Enfournez et laissez cuire 1 heure.

Bœuf aux poivrons

Ingrédients

1 c. à soupe de beurre

1 c. à soupe d'huile d'olive

2 lb de cubes d'épaule de veau

2 c. à soupe de persil haché

2 c. à soupe de thym haché

2 c. à soupe de romarin haché

250 ml (1 tasse) de vin blanc

Jus de 1/2 citron

3 c. à soupe de crème 35 %,
à cuisson

Sel et poivre du moulin

Veau aux herbes et à la crème

Préchauffez le four à 400 °F (200 °C).

Dans une cocotte, faites chauffer le beurre et l'huile. Faites-y revenir les cubes de veau. Incorporez les herbes. Versez la moitié du vin blanc, couvrez et faites cuire au four 30 minutes.

Baissez le four à 350 °F (180 °C). Sortez la cocotte du four, remuez la viande, couvrez et faites cuire 30 minutes.

Sortez la casserole du four, ajoutez le reste du vin, le jus et la crème.

Salez et poivrez. Réchauffez sur feu vif, en remuant.

Servez ce veau sur du riz.

Ingrédients

1 sachet de champignons porcini, séchés

375 ml (1 1/2 tasse) d'eau tiède

1 kg (2 lb) de cubes de veau

3 c. à soupe de farine tout usage

65 ml (1/4 tasse) d'huile d'olive

250 ml (1 tasse) de vin blanc

1/2 tasse de crème 35 %, à cuisson

125 ml (1/ 2 tasse) de lait

8 tomates séchées, coupées en minces lanières

1 petit piment rouge, paré, égrené et coupé en deux

2 tiges de romarin

3/4 c. à thé de sel

Ragoût de veau aux porcini, au romarin et à la crème

Faites réhydrater les porcini dans l'eau, une vingtaine de minutes. Retirez-les et pressez-les au-dessus d'un bol. Hachez-les. Tamisez le liquide de trempage dans un filtre à café et réservez-le.

Asséchez les cubes de veau et enrobez-les de farine. Dans une cocotte, faites-les cuire dans l'huile, sur feu moyen-élevé. À l'aide d'une écumoire, retirez-les de la casserole et déposez-les dans un bol.

Déglacez la cocotte au vin, en raclant le fond à la cuillère de bois pour décoller les sucs de cuisson. Ajoutez le veau, le liquide de trempage des porcini, la crème, le lait, les tomates, le piment et le romarin. Portez à ébullition, baissez le feu et laissez mijoter 1 h 15 ou jusqu'à tendreté de la viande. Retirez le romarin et le piment. Salez et servez.

Ragoût de veau aux porcini, au romarin et à la crème

Veau farci aux kumquats

Veau farci aux kumquats

La veille du repas, coupez les kumquats en deux et épépinez-les.
Déposez-les dans un contenant en verre ou en plastique avec couvercle
et saupoudrez-les de sucre. Couvrez et réfrigérez.

Le jour du repas, préchauffez le four à 350 °F (180 °C).
Mettez les kumquats et leur jus dans une casserole. Versez-y l'eau et
faites-les mijoter, à découvert, à feu bas, 15 minutes.
Égouttez les kumquats et réservez le jus.

Farce :

ébouillantez le céleri 5 minutes, égouttez-le et hachez-en la moitié.
Émiettez le pain dans le jus d'orange. Hachez la moitié des kumquats et
mélangez-les avec le pain et le céleri haché. Salez et poivrez.
Fendez le veau en deux sans le détacher ou demandez à votre boucher
de le faire. Ouvrez la pièce de viande. Salez-la, poivrez-la, farcissez-la,
enroulez-la et ficelez-la avec de la ficelle de cuisine.
Dans la casserole, faites dorer la viande dans 1 c. à soupe d'huile et la
moitié du beurre. Ajoutez-y les échalotes et le reste du céleri. Remuez,
ajoutez le reste des kumquats et une petite quantité de leur jus.
Couvrez et faites cuire au four 1 heure.
Retirez le rôti de la casserole et gardez-le au chaud sous une tente de
papier d'aluminium.
Déglacez le jus de cuisson au porto et faites-le réduire de moitié.
Ajoutez le reste du jus des kumquats et portez à ébullition. Incorporez le
reste du beurre, en fouettant jusqu'à émulsion.
Déposez le rôti dans une assiette de service.
Tranchez-le et nappez-le de sauce.

Ingrédients

250 g (1/2 lb) de kumquats

1 c. à soupe de sucre

125 ml (1/2 tasse) d'eau

6 tiges de céleri, coupées
en petits morceaux

2 tranches de pain de mie, écroûté

Jus de 1 orange

Sel et poivre du moulin

1 rôti de veau de 1,5 kg (3 lb)

6 échalotes sèches

125 ml (1/2 tasse) de porto blanc

1 c. à soupe de beurre

Huile d'olive

Veau aux citrons

Veau à la marocaine

Ébouillantez, pelez, épépinez et hachez les tomates. Enrobez les cubes de veau de farine. Dans une cocotte, faites-les dorer dans l'huile, avec les oignons et l'ail. Ajoutez les tomates, le concentré de tomates, le céleri, le bouillon, le ras-el-hanout et le sel. Portez à ébullition, en remuant. Couvrez la casserole et laissez mijoter 1 heure, à feu doux. Ajoutez les pois chiches, les pommes de terre et la moitié de la coriandre. Laissez cuire 20 minutes, en ajoutant de l'eau si nécessaire. Répartissez la préparation dans des assiettes creuses, sur du couscous, et parsemez de feuilles de coriandre.

Ingrédients

6 grosses tomates

500 g (1 lb) de veau à braiser, coupé en cubes

Farine tout usage

2 oignons, hachés

2 gousses d'ail, dégermées et hachées

2 c. à soupe d'huile d'olive

1 c. à soupe de concentré de tomates

1 branche de céleri, émincée

4 tasses de bouillon de légumes

1 c. à thé de ras-el-hanout

Sel

1 boîte de 540 ml de pois chiches, égouttés

2 pommes de terre moyennes, pelées et coupées en cubes

5 tiges de feuilles de coriandre hachées + quelques feuilles pour la garniture

Veau aux citrons

Préchauffez le four à 350 °F (180 °C). Dans une cocotte, faites dorer le rôti dans l'huile. Retirez-le du feu et réservez-le. Coupez 2 citrons en fines rondelles. Entourez le rôti de ficelle de cuisine et glissez-y les rondelles de citron ainsi que les feuilles de citronnier. Dans la cocotte, faites cuire le beurre et le sucre jusqu'à légère caramélisation. Retirez la cocotte du feu et versez-y doucement l'eau mélangée au jus de 1 citron. Remettez le rôti dans la cocotte et enrobez-le du mélange beurre-sucre caramélisé. Salez et poivrez. Ajoutez la sauge et le thym. Couvrez et laissez cuire au four pendant 1 h 15 ou jusqu'à tendreté de la viande, retournez le rôti deux fois en cours de cuisson. Retirez les ficelles, les rondelles de citron et les feuilles de citronnier et servez.

Ingrédients

1 rôti de veau d'environ 1,5 kg (3 lb)

3 citrons bio

6 feuilles de citronnier (facultatif)

3 tiges de thym, 3 tiges de sauge

2 c. à soupe d'huile d'olive

2 c. à soupe de beurre

2 c. à soupe de sucre

Sel et poivre noir du moulin

125 ml (1/2 tasse) d'eau

Ingrédients

1 kg (2 lb) d'escalopes de veau

Huile d'olive et beurre (moitié-moitié)

250 ml (1 tasse) de vin blanc

250 ml (1 tasse) de bouillon de poulet

Farce :

500 g (1 lb) de chair à saucisse

250 g (1/2 lb) de jambon cuit, haché

1 tige de céleri, hachée

12 olives kalamata, dénoyautées et hachées

2 c. à soupe de persil haché

1 gousse d'ail, dégermée et hachée

Sel et poivre noir du moulin

1 œuf

Ingrédients

3 lb de cubes de veau

Farine tout usage

Huile d'olive

1 gros oignon, haché

3 gousses d'ail, dégermées et hachées

1 c. à thé de thym séché

Sel et poivre noir du moulin

1 tasse de bouillon ou de vin rouge

4 tomates, pelées, égrenées et hachées

4 poivrons parés et coupés en cubes

Persil haché

Escalopes de veau farcies

Préchauffez le four à 350 °F (175 °C).

Farce : mélangez les ingrédients de la farce et répartissez-la dans les escalope. Enroulez-les et ficelez-les avec de la ficelle de cuisine. Faites chauffer l'huile et faites-les dorer. Retirez la ficelle.

Dans une grande casserole, disposez les escalopes. Versez le vin et le bouillon. Couvrez et faites cuire au four 1 heure ou jusqu'à tendreté de la viande.

Veau aux poivrons multicolores, à l'italienne

Enrobez les cubes de veau de farine. Dans une cocotte, faites chauffer l'huile, sur feu élevé, et faites-y dorer le veau. Retirez-le du feu et réservez-le. Réduisez à feu moyen. Dans la cocotte, ajoutez de l'huile et faites-y revenir l'oignon, l'ail, le thym, le sel et le poivre. Versez le bouillon. Incorporez le veau et les tomates. Portez à ébullition, sur feu élevé. Réduisez à feu moyen-bas, couvrez et laissez mijoter de 1 h 15 à 1 h 30 ou jusqu'à tendreté de la viande.

Avant de servir : dans une grande poêle, faites dorer les poivrons dans l'huile (Prenez des poivrons de différentes couleurs). Réduisez à feu moyen-bas et laissez-les mijoter jusqu'à ce qu'ils soient cuits al dente. Incorporez au veau ainsi que le persil haché. Rectifiez l'assaisonnement et servez.

Veau aux poivrons multicolores, à l'italienne

Rôti de porc aux abricots

Jarret de veau à la tunisienne

La veille du repas : dans un bol en verre, déposez la viande. Ajoutez les ingrédients de la marinade et recouvrez le tout d'une pellicule plastique. Laissez mariner une nuit.

Le jour du repas : égouttez la viande. Dans une cocotte, saisissez la viande dans un peu d'huile, à feu vif. Parsemez de farine et faites dorer la viande. Versez la marinade, portez à ébullition et laissez bouillir 5 minutes. Incorporez le bouillon et le sel.

Couvrez et laissez mijoter pendant 1 h 30, sur feu moyen-doux. En cours de cuisson, retirez l'écume qui pourrait se former à la surface. Tamisez la sauce. Servez ce jarret à la tunisienne avec du couscous.

Ingrédients

2 1/2 lb de jarret de veau, désossé et coupé en morceaux

Huile d'olive

1 c. à soupe de farine

250 ml (1 tasse) de bouillon

Sel

Marinade :

2 oignons hachés

2 bâtons de cannelle

10 grains de poivre noir

1 c. à thé de gingembre moulu

1 c. à thé de cassonade

Jus et zeste râpé de 1 orange

1 bouteille de vin rouge

Rôti de porc aux abricots

Préchauffez le four à 350 °F (180 °C).
Prélevez 125 ml (1/2 tasse) de sirop de la boîte d'abricots.
Mélangez l'huile, la moutarde, le sel et le poivre.
Déposez le porc dans un plat à four. Badigeonnez-le du mélange huile-moutarde-sel-poivre. Ajoutez l'oignon, l'ail, la sauge et le sirop.
Faites cuire au four 40 minutes, en arrosant de temps à autre.
Ajoutez les abricots égouttés. Parsemez de noisettes de beurre.
Salez, poivrez et laissez cuire 20 minutes.
Recouvrez le rôti de papier d'aluminium et laissez-le reposer au four 10 minutes avant de le découper.

Ingrédients

1 boîte de moitiés d'abricots en sirop léger de 398 ml (14 oz)

2 c. à soupe d'huile

1 c. à soupe de moutarde de Dijon

Sel et poivre du moulin

1 rôti de porc, désossé d'environ 1,5 kg (3 lb)

1 oignon, émincé

2 gousses d'ail, dégermées et émincées

5 feuilles de sauge

1 c. à soupe de beurre

Spaghettis en sauce aux trois viandes

Spaghettis en sauce aux trois viandes

Dans un faitout, à feu moyen, faites revenir l'oignon, l'ail, le romarin et le persil dans l'huile d'olive, jusqu'à ce que l'oignon soit légèrement doré. Ajoutez les viandes mélangées et faites-les cuire.

Incorporez les dés de carottes et de céleri et faites-les cuire 10 minutes. Ajoutez le vin, le concentré de tomates, le bouillon et le poivre.

Portez à ébullition.

Baissez le feu, couvrez, en laissant passer la vapeur, et mijotez pendant 1 h 30 ou jusqu'à ce qu'il ne reste presque plus de liquide.

Vérifiez l'assaisonnement et incorporez à des spaghettis chauds.

Répartissez dans de grandes assiettes creuses et parsemez- de parmesan râpé.

Ingrédients

1 oignon haché

3 gousses d'ail, dégermées et pressées

2 c. à soupe de feuilles de romarin, hachées (ou 1 c. à soupe de romarin séché)

2 c. à soupe de persil, haché

1 c. à soupe d'huile d'olive

Chair de 1 saucisse italienne, douce

250 g (1/2 lb) de veau haché

8 tranches de prosciutto, coupées en petits morceaux

2 carottes coupées en dés

1 branche de céleri, coupée en dés

4 c. à soupe de vin rouge

3 c. à soupe de concentré de tomates

2 tasses de bouillon de poulet

Poivre noir du moulin

Spaghettis cuits

Parmesan râpé

Filet de porc à la chinoise

Dans une cocotte, faites dorer le filet de porc dans l'huile végétale, environ 10 minutes. Retirez le gras de la poêle. Ajoutez les échalotes, le gingembre, la sauce soya, le vin, le zeste et le sucre. Versez l'eau et portez à ébullition. Baissez le feu, couvrez et laissez mijoter 45 minutes ou jusqu'à ce que la viande soit cuite.

Retirez la viande de la casserole et gardez-la au chaud sous une tente de papier d'aluminium. Tamisez le jus de cuisson, puis retournez dans la casserole. Portez à ébullition et laissez bouillir 5 minutes ou jusqu'à ce que le liquide ait réduit légèrement. Baissez le feu. Incorporez les bok choys et laissez mijoter 3 minutes. Incorporez le cresson et cuisez jusqu'à léger affaissement. Retirez le cresson et les bok choys de la casserole, à l'aide d'une écumoire, et déposez-les sur un plateau de service.

Dissolvez la fécule dans 1 c. à soupe d'eau. Fouettez dans le jus de cuisson et cuisez, en fouettant, jusqu'à épaississement.

Tranchez le porc et servez entouré des légumes et nappé de sauce.

Ingrédients

1 filet de porc de 1 kg (2 lb)

1 c. à soupe d'huile végétale

4 échalotes sèches, tranchées grossièrement

1 racine de gingembre, pelée et tranchée grossièrement

125 ml (1/2 tasse) de sauce soya, foncée

125 ml (1/2 tasse) de vin de riz ou de vin blanc

Lanières de zeste de 1/2 orange

1 c. à soupe de sucre

500 ml (2 tasses) d'eau

4 bok choys parés

2 bouquets de cresson, parés

1 c. à soupe de fécule de maïs

Carré de porc à la moutarde

Pelez les gousses d'ail et coupez-les en quatre.

Émincez finement l'échalote et mélangez-la à l'huile dans un petit bol.

Faites de petites incisions dans la viande et glissez-y les éclats d'ail et l'échalote. Mélangez le beurre, la moutarde et le thym et étendez cette pâte sur le carré de porc. Salez et poivrez.

Mettez la viande au réfrigérateur, dans un plat recouvert d'une pellicule plastique pendant 4 heures minimum, toute la nuit si vous le désirez.

Préchauffez le four à 450 °F (230 °C).

Mettez le carré dans un plat allant au four, la partie grasse sur le dessus.

Faites-le saisir pendant 15 minutes.

Baissez le four à 350 °F (180 °C) et poursuivez la cuisson pendant 1 h 30.

Pour faire une sauce, dégraissez le plat de cuisson et ajoutez un peu d'eau (ou de vin rouge ou blanc). Laisse cuire sur le feu une ou deux minutes.

Ingrédients

1 carré de 6 côtes de porc

3 gousses d'ail

1 ou 2 échalotes françaises

2 c. à soupe d'huile

1/2 c. à thé de thym séché

2 c. à soupe de moutarde de Dijon

2 c. à soupe de beurre, à température ambiante

Sel et poivre

Carré de porc à la moutarde

Épaule de porc à la coriandre

Côtes de porc aux pommes

Pelez les pommes et les oignons. Tranches-les en 8 quartiers.

Tapissez le fond d'une cocotte des pommes et des oignons mélangés.

Disposez par-dessus les côtes de porc.

Salez et poivrez.

Couvrez et laissez cuire au four à 350 °F (180 °C) pendant environ 1 h 30.

Ingrédients

8 côtes de porc épaisses,
avec ou sans os

8 pommes

8 oignons

Sel et poivre

Épaule de porc à la coriandre

Coupez le porc en gros cubes.

Épluchez puis émincez les oignons, les gousses d'ail et le céleri.

Pelez et épépinez les tomates.

Passez les morceaux de porc dans la farine.

Chauffez l'huile dans une sauteuse.

Déposez-y les morceaux de porc et faites-les dorer de tous les côtés.

Retirez-les.

Ajoutez les oignons, l'ail, le céleri et les graines de coriandre.

Faites blondir ces éléments à feu doux
en les remuant à la cuillère de bois.

Lorsqu'ils sont dorés, ajoutez les tomates et la coriandre fraîche hachée.

Remettez les morceaux de porc dans la sauteuse
et mélangez bien le tout. Salez et poivrez.

Laissez mijoter pendant 1 heure. Ajoutez un peu d'eau
si besoin et rectifiez l'assaisonnement.

Ingrédients

1 kg d'épaule de porc

2 oignons

2 gousses d'ail

3 branches de céleri

2 tomates

Farine

3 cuillerées à soupe d'huile

1 c. à café de graines de coriandre

1 bouquet de coriandre

Rôti de porc au cidre

Porc aux palourdes

Couper le filet de porc en morceaux.

Faites chauffer l'huile et faites y revenir l'oignon et l'ail pressé.

Ajoutez les morceaux de porc et faites les dorer.

Versez le vin blanc et les palourdes avec leur jus.

Salez et poivrez.

Laissez cuire à feu doux. Au bout de 45 minutes, ajoutez les pommes de terre, coupées en 4 et poursuivez la cuisson environ 1/2 heure.

Ingrédients

1 kg de filet de porc

1 boîte de palourdes

4 pommes de terre

1/2 bouteille de vin blanc sec

4 gousses d'ail

2 c. à soupe d'huile d'olive

1 oignon

feuille de laurier

Rôti de porc au cidre

Hachez l'échalote et faites-la revenir dans un peu de gras de canard ou d'huile. Lorsqu'elle est blondie, faites revenir le rôti sur toutes ses faces. Retirez-le et mettez-le de côté.

Faites revenir les lardons. Quand ils sont dorés, remettez le rôti dans la cocotte.

Versez le cidre. Comme le rôti doit en être recouvert, il est important de ne pas prendre une trop grande cocotte. Salez et poivrez.

Laissez cuire à feu doux pendant environ 1 heure.

Lorsque la viande cuit depuis une heure, ajoutez les champignons lavés et tranchés et poursuivez la cuisson pendant 1/2 heure.

Pour servir, tranchez le rôti et nappez-le de la sauce.

Ingrédients

1,5 kg de porc (longe ou épaule)

12 champignons de Paris

300 g de lard fumé

25 cl (250ml) de crème 35 %

1 c. à soupe de fécule de maïs ou de pomme de terre

1 bouteille de cidre demi-sec

1 échalote française

Sel et poivre

Ingrédients

1,5 kg (3 lb) d'épaule de porc

2 c. à soupe d'huile d'olive

2 oignons

4 gousses d'ail

1 piment fort

1 c. à thé de curcuma

6 tomates hachées

1 tasse de bouillon de poulet

Sel et poivre

Rôti de porc au curcuma

Couper le porc en morceaux.

Hachez les oignons grossièrement.

Faites chauffer l'huile dans une cocotte et ajoutez-y les gousses d'ail écrasées et le piment haché très vin. Faites dorer les morceaux de porcs.

Ajoutez l'oignon et faites le blondir.

Ajoutez le curcuma et mélangez bien pour enrober les ingrédients.

Ajoutez les tomates et le bouillon (ou simplement de l'eau). Salez et poivrez.

Laissez mijoter à feu doux pendant 1 heure.

Ingrédients

Sel et poivre

1 poulet de grains de 1,5 kg (3 lb)

4 gousses d'ail, entières

3 c. à soupe de graines de fenouil, moulues

250 ml (1 tasse) de pastis

Huile d'olive

Poulet à l'ail et au pastis

Préchauffez le four à 400 °F (200 °C).

Saler et poivrer l'intérieur du poulet. Glissez les gousses d'ail à l'intérieur et parsemez l'extérieur de fenouil.

Arrosez de pastis et d'un filet d'huile. Salez et poivrez. Faites cuire le poulet au four pendant 1 h 30, arrosez de temps à autre de jus de cuisson.

Au moment de servir, découpez le poulet en morceaux et nappez-le de sauce.

Poulet à l'ail et au pastis

Poulet en pot-au-feu

Poulets marinés et rôtis

La veille du repas : fouettez la moutarde de Dijon, l'huile, le persil et le thym. Incorporez l'ail. Badigeonnez-en les poulets (intérieur et extérieur). Déposez les poulets dans des assiettes en verre, couvrez-les et laissez-les mariner au réfrigérateur, minimum 5 heures, de préférence une nuit.

Le jour du repas : préchauffez le four à 400 °F (200 °C) Avant cuisson, laissez la volaille à température ambiante une trentaine de minutes. Salez et poivrez (intérieur et extérieur), puis laissez à température ambiante 30 minutes. Déposez les poulets sur une grille, dans une grande rôtissoire. Attachez les cuisses ensemble. Répartissez les tiges de romarin sur les poulets. Faites rôtir au four pendant 1 h 10, en arrosant de jus de cuisson de temps à autre ou jusqu'à ce qu'une brochette, plantée dans une cuisse, en fasse ressortir un jus clair.

Ingrédients

1 tasse de moutarde de Dijon

125 ml (1/2 tasse) d'huile d'olive

125 ml (1/2 tasse) de persil haché

2 c. à soupe de thym

15 gousses d'ail, dégermées et écrasées

2 poulets d'environ 2 kg (4 lb) en tout, rincés et asséchés

6 tiges de romarin

Poulet en pot-au-feu

Préchauffez le four à 375 °F (190 °C). Sur feu élevé, déposez une grande casserole. Faites-y dorer le poulet dans l'huile. Retirez-le de la casserole et réservez-le. Dans la même casserole, faites revenir le bacon. Ajoutez les pommes de terre, le thym et les tomates. Remuez, puis versez le bouillon. Remettez le poulet dans la casserole et portez à ébullition. Couvrez et faites cuire le poulet au four 30 minutes. Découvrez-le et faites-le cuire 30 minutes. Ajoutez le poireau et laissez cuire 10 minutes. Découpez le poulet. Répartissez les légumes et le bouillon dans des bols de service. Déposez-y les morceaux de poulet.

Ingrédients

1 poulet de 1,5 kg (3 lb)

2 c. à soupe d'huile d'olive

150 g (1/3 lb) de bacon, haché

1 kg (2 lb) de pommes de terre de grosseur moyenne (nouvelles de préférence)

1 c. à soupe de feuilles de thym, hachées

1 boîte de 796 ml (28 oz) de tomates, coupées en cubes

2 litres (8 tasses) de bouillon de poulet

1 blanc de poireau, tranché

Poulet sur lit de ratatouille

Dans une grande poêle, faites dorer le poulet, à feu moyen-élevé, dans le beurre et l'huile.

Retirez la volaille de la poêle et réservez-la.

Dans la même poêle, faites revenir les oignons et l'ail. Ajoutez les courgettes, l'aubergine, les poivrons et le prosciutto. Laissez cuire 10 minutes, en remuant. Incorporez le vin, les tomates, le thym, le sel et le poivre.

Déposez le poulet sur la ratatouille. Portez à ébullition, couvrez, baissez le feu et laissez mijoter 25 minutes, 10 minutes avant la fin de la cuisson, incorporez les olives.

Pour le service, répartissez la ratatouille dans les assiettes et couronnez-la du poulet.

Ingrédients

1 poulet coupé en quatre (ou 2 cuisses et 2 poitrines, désossées)

1 c. à soupe de beurre

2 c. à soupe d'huile d'olive

2 oignons, hachés

3 gousses d'ail, dégermées et hachées

2 courgettes coupées en cubes

1 aubergine coupée en cubes

2 poivrons rouges, parés et coupés en cubes

1/4 lb de prosciutto, coupé en lanières

250 ml (1 tasse) de vin blanc

2 tomates pelées, épépinées et coupées en morceaux

Quelques feuilles de thym, hachées

Sel et poivre du moulin

Olives noires dénoyautées, conservées dans l'huile et égouttées

Poulet aux pommes

Préchauffez le four à 350 °F (180 °C).

Dans une cocotte allant au four, faites revenir le poulet dans le beurre afin qu'il soit doré sur toutes ses faces. Salez et poivrez. Retirez de la cocotte.

Pelez les pommes et coupez-les en tranches. Épluchez et hachez l'oignon.

Faites revenir l'oignon et les pommes.

Placez le poulet par-dessus.

Mouillez du cidre et laissez l'alcool s'évaporer quelques minutes.

Couvrez et enfournez pour 1 heure.

Ajoutez la crème et remettez au four 5 minutes.

Ingrédients

1 poulet

6 pommes

1 oignon

125 ml (1/4 tasse) de cidre

15 ml (1 c. à soupe) de crème 35 %

15 ml (1 c. à soupe) de beurre

Sel et poivre

Poulet aux pommes

Ingrédients

65 ml (1/4 tasse) de sirop d'érable

1 c. à soupe de sauce soya

1 c. à soupe de vinaigre de riz

1 jet de sauce piquante

190 ml (3/4 tasse) de vin de madère

1 poulet de 2,5 kg (4 1/2 lb),
rincé et asséché

2 c. à soupe de beurre

Sel et poivre

1/2 orange coupée en quatre
+ 1 orange pour la garniture

2 grosses tranches de gingembre
frais, pelé et écrasé

2 gousses d'ail, dégermées
et écrasées

Poulet rôti, glace au sirop d'érable, à la sauce soya et au madère

Préchauffez le four à 375 °F (190 °C).

Glace : fouetter le sirop d'érable, la sauce soya, le vinaigre de riz et la sauce piquante. Réservez.

Dans une petite casserole, faites mijoter le madère jusqu'à ce qu'il soit réduit à 125 ml (1/2 tasse).

À l'aide des doigts, soulevez la peau du poulet et enduisez la chair de beurre. Salez et poivrez. Badigeonnez de beurre l'extérieur du poulet. Déposez le poulet dans une lèchefrite. Arroser du jus des quartiers d'orange et insérez ces quartiers dans la cavité, de même que le gingembre et l'ail. Repliez les ailes sous la volaille. Arrosez le poulet de madère.

Faites cuire le poulet 20 minutes. Versez 65 ml (1/4 tasse) d'eau dans la lèchefrite. Rôtissez le poulet 15 minutes, puis badigeonnez de glace, réservez le reste. Continuez de cuire le poulet 40 minutes ou jusqu'à ce qu'un thermomètre à viande, inséré dans la partie la plus charnue d'une cuisse, affiche 170 °F (80 °C) en glaçant le poulet toutes les 10 minutes. En fin de cuisson, inclinez le poulet dans la lèchefrite afin qu'il rendre son jus. Déposez la volaille dans un plat de service et gardez au chaud sous une tente de papier d'aluminium.

Dégraissez le jus de cuisson et incorporez le reste de la glace. Déposez la lèchefrite sur 2 ronds de cuisinière et portez la sauce à ébullition. Versez dans une saucière.

Entourez ce poulet de quartiers d'oranges et servez-le avec du riz.

Accompagnez d'un vin blanc sec.

Poulet rôti, glace au sirop d'érable,
à la sauce soya et au madère

Poulet aux tomates

Poulet et légumes rôtis, aux parfums de Provence

Préchauffez le four à 375 °F (190 °C).

Rincez le poulet (intérieur et extérieur) et asséchez-le.

À l'intérieur, insérez un oignon rouge, 2 gousses d'ail,

Dans une lèchefrite, déposez la volaille. Badigeonnez d'huile, salez et poivrez. Disposez 4 feuilles de laurier sur le dessus et badigeonnez-les d'huile. Parsemez le poulet de quelques feuilles de romarin.

Dans un grand bol, mettez les poivrons rouges, les oignons rouges restants, les courgettes, les pommes de terre, les gousses d'ail restantes, 3 tiges de romarin, les feuilles de laurier restantes et 3 c. à soupe d'huile.

Salez, poivrez et remuez. Disposez dans la lèchefrite, autour du poulet.

Faites rôtir au four de 1 h 00 à 1 h 15 ou jusqu'à ce que le jus de la volaille soit clair quand on perce une cuisse avec une brochette.

Retirez le poulet et les légumes de la lèchefrite et gardez au chaud, sous une tente de papier d'aluminium.

Dégraissez le jus de cuisson et versez celui-ci dans une saucière.

À l'aide d'une fourchette, écrasez chaque gousse d'ail pour en retirer la pulpe et incorporez-la aux légumes.

Ingrédients

1 poulet de 1,5 kg (3 lb)

4 petits oignons rouges, coupés en quartiers

8 gousses d'ail, non pelées

6 feuilles de laurier

1 citron coupé en deux

4 c. à soupe d'huile d'olive

Sel et poivre du moulin

4 tiges de romarin

2 poivrons rouges, parés et coupés en quartiers

3 courgettes, coupées en grosses tranches

500 g de pommes de terre de grosseur moyenne

Poulet aux tomates

Épluchez et émincez les oignons.

Épluchez et hachez finement les gousses d'ail.

Dans une cocotte à fond épais, faites dorer les morceaux de poulet sur toutes leurs faces. Puis, retirez de la cocotte et réservez.

Faites revenir les oignons et l'ail.

Remettez le poulet dans la cocotte. Mouillez du vin rouge.

Ajoutez le laurier, le thym et le concentré de tomates dilué dans un peu

Couvrez et laissez mijoter à feu doux pendant 1 h 30.

Ingrédients

1 poulet découpé en morceaux

2 oignons

2 gousses d'ail

250 ml (1 tasse) de vin rouge

30 ml (2 c. à soupe) de concentré de tomates

1 feuille de laurier

2 branches de thym frais

Huile d'olive

Sel et poivre

Ingrédients

1 pintade

10 tranches de bacon

2 c. à thé de beurre

1 échalote sèche, hachée

1 tasse de bouillon de poulet

1 tasse de crème 15 %, à cuisson

2 c. à soupe d'estragon frais, haché

Sel et poivre du moulin

250 g (1/2 lb) de champignons de Paris ou café, parés et tranchés

1 gousse d'ail, hachée

1 c. à soupe de persil, haché

1 c. à thé d'huile.

Ingrédients

2 figues mûres

500 ml (2 tasses) de porto blanc

1 poulet de 3 lb, coupé en morceaux

4 c. à soupe de beurre

4 échalotes sèches, hachées

1 c. à thé de grains de coriandre, moulus

4 gousses d'ail, dégermées et tranchées

1 tige de céleri, coupée en dés

1 grosse tomate mûre, pelée, épépinée et coupée en dés

1/2 tasse de bouillon de poulet

8 brins de ciboulette

Pintade rôtie aux champignons, sauce crème

Enrobez la pintade de tranches de bacon. Fixez-les avec de la ficelle de cuisine. Dans une grande cocotte, sur feu moyen, faites revenir la pintade dans 1 c. à thé de beurre. Ajoutez l'échalote et faites-la dorer, en remuant. Dans la cocotte, versez le bouillon et la crème. Incorporez l'estragon, le sel et le poivre. Portez à ébullition, baissez le feu et laissez mijoter 30 minutes. Dans une poêle, faites sauter les champignons, l'ail et le persil dans 1 c. à thé d'huile jusqu'à ce que les champignons aient rendu leur eau. Ajoutez le beurre restant et faites-les dorer légèrement.

Dans la cocotte, retournez la pintade. Ajoutez les champignons, couvrez et laissez cuire 30 minutes ou jusqu'à ce que la pintade soit à point.

Poulet aux figues

La veille du repas, dans un contenant de verre ou en plastique avec couvercle, déposez les figues et versez le porto. Couvrez et réfrigérez.

Le jour du repas, faites dorer le poulet dans 2 c. à soupe de beurre. Retirez de la poêle et réservez. Dans la même casserole, faites fondre les échalotes. Ajoutez la coriandre, l'ail, le céleri, la tomate, la moitié du porto de macération des figues, le poulet, le sel et le poivre. Couvrez, portez à ébullition, baissez le feu et laissez mijoter, à feu doux, 45 minutes. Retirez le poulet et réservez au chaud, sous une tente de papier d'aluminium. Retirez les figues du liquide de macération.

Dans une petite casserole, faites réduire le reste du porto de macération jusqu'à l'obtention d'un sirop. Versez dans la casserole. Versez le bouillon et faites réduire à feu vif. Plongez-y les figues et enrobez-les de ce sirop. Retirez-les du liquide et égouttez-les.

Portez le sirop à ébullition. Ajoutez le beurre restant, 1 petit morceau à la fois, en fouettant jusqu'à émulsion. Remettez-y les morceaux de poulet et les figues. Vérifiez l'assaisonnement et incorporez la ciboulette. Accompagnez de semoule ou de riz.

Poulet aux figues

Poulet à la méditerranéenne

Poulet à la pancetta, au vin blanc et à la crème

Préchauffez le four à 325 °F (160 °C).

Dans une grande casserole, faites revenir les échalotes et l'ail dans 1 c. à thé de beurre. Ajoutez la pancetta et laissez-la cuire jusqu'à ce que les échalotes soient caramélisées.

Dans une grande poêle, faites dorer le poulet dans 1 c. à soupe de beurre. Déposez-le dans la casserole.

Dans la même poêle, versez le vin et portez-le à ébullition, en raclant le fond de la poêle avec une cuillère de bois pour en décoller les sucs de cuisson. Versez sur le poulet. Ajoutez le bouillon et le bouquet garni. Couvrez et faites cuire au four 1 heure ou jusqu'à ce que le poulet soit à point. Retirez le poulet de la casserole et coupez-le en portions. Gardez-le au chaud sous une tente de papier d'aluminium.

Retirez le bouquet garni du liquide de cuisson. Portez celui-ci à ébullition. Baissez le feu et laissez mijoter jusqu'à ce que le liquide ait réduit des deux tiers. Incorporez la crème et le persil haché. Réchauffez en remuant. Répartissez les morceaux de poulet dans de grandes assiettes creuses, sur un lit de purée de pommes de terre. Nappez de sauce crème.

Ingrédients

1/3 lb d'échalotes sèches, hachées

4 gousses d'ail, dégermées et hachées

1 c. à thé + 1 c. à soupe de beurre

150 g (1/3 lb) de pancetta, coupée en lanières

1 poulet de 1,5 kg (3 lb)

1/2 bouteille de vin blanc

2 tasses de bouillon de poulet

Bouquet garni : 1 tige de thym, 1 tige de persil et 1 feuille de laurier, attachées avec de la ficelle de cuisine

1/2 tasse de crème 35 %, à cuisson

1 bouquet de persil haché

Poulet à la méditerranéenne

Préchauffez le four à 250 °F (120 °C).

Dans une grande poêle épaisse, faites dorer le poulet dans le beurre et l'huile. Déposez dans un faitout.

Dans la même poêle, faites sauter les oignons, l'ail et le poivron. Ajoutez au poulet. Mélangez le concentré de tomates, la moutarde de Dijon, le bouillon, le vinaigre et le poivre. Nappez le poulet de cette sauce.

Couvrez la casserole et laissez cuire au four 1 heure ou jusqu'à ce que le poulet soit à point. Accompagnez de pâtes.

Ingrédients

4 poitrines de poulet, désossées et sans peau

1 c. à soupe de beurre

1 c. à soupe d'huile d'olive

2 oignons hachés

1 gousse d'ail, dégermée et finement hachée

1 poivron rouge ou vert, paré et coupé en cubes

2 c. à soupe de concentré de tomates

2 c. à thé de moutarde de Dijon

1 tasse de bouillon de poulet

2 c. à soupe de vinaigre balsamique

Poivre noir du moulin

Poulet à l'alsacienne

Poulet à l'alsacienne

Préchauffez le four à 450 °F (230 °C).

Dans une grande poêle épaisse, faites chauffer 2 c. à soupe d'huile, sur feu moyen-élevé. Faites-y sauter les échalotes, les carottes, le céleri et l'ail. Salez et poivrez. Faites cuire jusqu'à ce que les légumes caramélisent légèrement. Retirez-les de la poêle et déposez-les dans un faitout, en les poussant vers les côtés.

Dans la poêle, faites chauffer 2 c. à soupe d'huile, sur feu moyen-élevé. Salez et poivrez le poulet et faites-le dorer dans l'huile. Déposez-le dans le faitout, au centre des légumes. Parsemez d'herbes et de zeste de citron. Ajoutez les prunes et le chou.

Retirez le gras de la poêle. Versez le bouillon et le vin. Portez à ébullition, en remuant à la cuillère de bois pour décoller les sucs de cuisson. Versez cette sauce sur le poulet et les légumes, ainsi que le reste de l'huile. Couvrez et laissez cuire 1 heure ou jusqu'à ce que le poulet et les légumes soient à point. Laissez reposer 10 minutes, à couvert.

Déposez le poulet dans une grande assiette de service. Entourez des légumes et des prunes. Vérifiez l'assaisonnement de la sauce et nappez-en le poulet.

Ingrédients

190 ml (3/4 tasse) d'huile

16 échalotes sèches, pelées

6 carottes pelées et coupées en morceaux d'environ 5 cm (2 po)

4 tiges de céleri, coupées en morceaux d'environ 5 cm (2 po)

3 têtes d'ail, gousses séparées et pelées

Sel et poivre du moulin

1 poulet de 2 kg (4 lb) rincé, asséché et cuisses attachées ensemble

6 tiges de thym (feuilles)

6 tiges de persil (feuilles)

3 tiges de romarin (feuilles)

2 c. à soupe de zeste de citron, râpé

15 prunes dénoyautées

1/2 petit chou, coupé en quatre

250 ml (1 tasse) de bouillon de poulet

125 ml (1/2 tasse) de Riesling

Poulet rôti au paprika

Dans un grand bol, mélangez le paprika, le cumin et l'huile.

Enduisez le poulet de ce mélange et laissez mariner 2 heures.

Préchauffez le four à 350 °F (180 °C).

Placez le poulet dans un plat à rôtir. Salez généreusement.

Parsemez de petites noisettes de beurre.

Enfournez et laissez cuire 1 heure ou jusqu'à tendreté.

Ingrédients

1 poulet

10 ml (2 c. à café) de paprika

5 ml (1 c. à café) de cumin

Sel

Beurre

Huile d'olive

Poulet chasseur

Ingrédients

1 poulet détaillé en morceaux

2 oignons

3 échalotes grises

3 gousses d'ail

150 g (1/3 lb) de lardons fumés

250 ml (1 tasse) de vin rouge

250 ml (1 tasse) de bouillon
de volaille

1 bouquet garni

300 g (9 oz) de champignons
(de Paris, girolles, cèpes, portobellos...
au choix !)

6 tomates italiennes

Huile d'olive

Quelques brins de persil

Sel et poivre

Épluchez et émincez les oignons. Épluchez et hachez finement les gousses d'ail. Pelez et épépinez les tomates, puis coupez-les en dés. Ciselez le persil.

Dans une grande cocotte à fond épais, faites revenir les morceaux de poulet dans l'huile d'olive afin qu'ils dorent de tous les côtés.

Retirez les morceaux de poulet et faites revenir les oignons et l'ail.

Remettez le poulet dans la cocotte puis ajoutez les lardons.

Arrosez du vin et du bouillon de volaille.

Ajoutez le bouquet garni. Salez et poivrez. Portez à ébullition puis baissez à feu doux. Couvrez et laissez mijoter 1 heure.

Ajoutez les champignons et poursuivez la cuisson 20 minutes.

Ajustez l'assaisonnement.

Avant de servir, parsemez de persil ciselé.

Poulet chasseur

Lapin au champagne

Lapin bistrot

Mettez la farine et le lapin dans un sac de papier.
Secouez pour enrober la viande de farine. Réservez-la.
Dans un faitout, faites dorer les lardons dans l'huile d'olive,
à feu moyen-élevé. Retirez les lardons.
Dans la même casserole, faites dorer le lapin. Ajoutez le vin, les têtes
d'ail et les lardons. Portez à ébullition et couvrez. Baissez le feu et laissez
mijoter 1 heure ou jusqu'à tendreté. Retirez le lapin de la casserole et
réservez au chaud, sous une tente de papier d'aluminium.
Dans un tamis, posé sur un bol, déposez les têtes d'ail. Pressez avec une
cuillère de bois pour en retirez la pulpe. Nettoyez le tamis et tamisez-y la
sauce. Remettez pulpe d'ail et sauce tamisée dans le faitout.
Versez la crème. Faites bouillir quelques minutes, en fouettant jusqu'à
homogénéité. Poivrez et servez.

Ingrédients

57 g (1/2 tasse) de farine

1 lapin coupé en 6 morceaux

1 carré de lard salé de 15 cm (6 po),
coupé en cubes

125 ml (1/2 tasse) d'huile d'olive

1 bouteille de vin blanc sec

3 têtes d'ail, non pelées

1 tasse de crème à 15 %, à cuisson,
à température ambiante

Poivre noir du moulin (facultatif)

Lapin au champagne

Dans une cocotte, faites chauffer la moitié du beurre et l'huile.
Faites-y sauter le bacon et les oignons verts.
Retirez le bacon et les oignons de la cocotte. Réservez-les.
Dans la même cocotte, faites dorer le lapin. Remettez-y le bacon
et les oignons verts. Salez et poivrez. Versez le champagne.
Couvrez et laissez mijoter 1 heure ou jusqu'à tendreté.
Ajoutez les champignons et laissez cuire 15 minutes.
Dans un plat de service, disposez le lapin et sa garniture et gardez au
chaud, sous une tente de papier d'aluminium.
Mélangez le reste du beurre avec la farine.
Fouettez ce beurre manié dans la sauce pour l'épaissir.
Après un bouillon, nappez le lapin de cette sauce et servez-le.

Ingrédients

2 c. à soupe de beurre

1 c. à soupe d'huile

100 g (1/4 lb) de bacon,
coupé en petits dés

8 oignons verts

1 lapin coupé en morceaux

Sel et poivre noir du moulin

1/2 bouteille de champagne

250 g (1/2 lb) de petits champignons
parés et sautés dans le beurre

1 c. à soupe de farine

Ingrédients

1 gigot d'agneau de 2 kg (4 lb)

4 carottes

2 oignons

2 clous de girofle

3 gousses d'ail

1 bouquet garni

Sel et poivre

Agneau bouilli

Coupez les carottes en tronçons, pelez les gousses d'ail, que vous laisserez entières. Pelez les oignons et piquez l'un d'eux des clous de girofle.

Remplissez une grande cocotte d'eau froide. Ajoutez les carottes, les oignons, l'ail et un bouquet garni. Amenez à ébullition.

Salez et poivrez le gigot d'agneau, enveloppez-le dans un coton à fromage et ficelez-le solidement. Lorsque l'eau arrive à ébullition, plongez-y la viande et laissez cuire 45 minutes.

Sortez la viande du bouillon, enlevez le linge et dressez sur un plat de service.

Ingrédients

1,5 kg (3 lb) d'épaule d'agneau, coupée en gros morceaux

250 ml (1 tasse) de vin blanc sec

60 ml (4 c. à soupe) de vinaigre blanc

30 ml (2 c. à soupe) de romarin frais

30 ml (2 c. à soupe) de sauge fraîche

Huile d'olive

Sel et poivre

Agneau aux herbes fraîches

Pelez et hachez l'ail. Hachez finement le romarin et la sauge.

Dégraissez l'agneau.

Dans une grande cocotte en fonte, faites chauffer l'huile d'olive.

Faites-y revenir les morceaux d'agneau.

Mouillez du vin et du vinaigre blanc. Ajoutez l'ail, le sel et le poivre.

Amenez à ébullition, puis baisser à feu doux et laissez mijoter pendant 1 heure.

Ajoutez la sauge et le romarin et poursuivez la cuisson encore 30 minutes.

Agneau aux herbes fraîches

Agneau braisé

Coupez en brunoise les carottes, le céleri effilé et l'oignon, puis, dans une grande cocotte, faites-les suer dans du beurre. Réservez et jetez le gras de cuisson.

Disposez au fond de la cocotte les tranches de lard et déposez par-dessus les légumes puis l'agneau. Salez et poivrez.

Mouillez de vin blanc sec. Ne recouvrez pas totalement la viande. Il faut que le liquide arrive à la moitié de la hauteur de la pièce de viande.

Ajoutez une feuille de laurier et quelques branches de thym. Quand l'alcool s'est évaporé, couvrez et laissez cuire doucement 1 heure.

Ingrédients

1,5 kg (3 lb) d'épaule d'agneau

2 carottes

1 oignon

1 branche de céleri

1 feuille de laurier

3 tranches de lard salé

2 branches de thym frais

1 bouteille de vin blanc sec

Beurre

Sel et poivre

Gigot à l'écossaise

Remplissez une grande casserole d'eau. Ajoutez-y le poivre, le sel, les gousses d'ail pelées et laissées entières et les baies de genièvre.

Enveloppez le gigot dans un coton à fromage et ficelez-le solidement.

Plongez le gigot dans l'eau. Amenez à ébullition, puis baissez le feu et laissez cuire 1 heure.

Ingrédients

1 gigot de 2 kg (4 lb)

25 g (1/4 tasse) de poivre noir en grains

20 g (1 c. à soupe) de gros sel marin

10 gousses d'ail

12 baies de genièvre

Gigot à l'écossaise

Daube de bœuf aux carottes

Vitello tonnato

Dans un plat en verre, déposez les légumes, l'ail, les clous de girofle et le veau. Versez le vin. Couvrez et laissez mariner 24 heures.
Mettez le tout dans une cocotte et salez. Ajoutez suffisamment d'eau pour couvrir la viande, si nécessaire.
Portez à ébullition, baissez le feu et laissez mijoter 1 heure.
Laissez refroidir la viande dans le liquide de cuisson.
Rincez, épongez et hachez les filets d'anchois.
Mettez-les dans le robot culinaire. Ajoutez le thon, les jaunes d'œufs, 2 c. à soupe de câpres et de jus de 1/2 citron. Incorporez graduellement quelques cuillerées de liquide de cuisson. Ajoutez l'huile, petit à petit, en actionnant jusqu'à consistance de sauce. Salez et poivrez.
Égouttez la viande. Tranchez-la finement et disposez-la dans un plat de service. Nappez de sauce. Coupez le reste du citron en quartiers et garnissez-en le veau. Parsemez-le du reste des câpres.
Décorer de persil frais.

Ingrédients

1 carotte, hachée grossièrement
1 oignon, haché grossièrement
1 tige de céleri, hachée grossièrement
gousses d'ail, dégermées et hachées
2 clous de girofle
1 rôti de veau de 1 kg (2 lb)
1 bouteille de vin blanc sec
1 c. à thé de sel
3 filets d'anchois, à l'huile
1 boîte de thon (170 g), égoutté
2 jaunes d'œufs
3 c. à soupe de câpres
2 citrons
Environ 1 tasse d'huile d'olive

Daube de bœuf aux carottes

Coupez les carottes en rondelles, hachez les oignons et le persil.
Dans une grande cocotte, faites revenir le bœuf dans l'huile d'olive.
Une fois que la viande est bien dorée de tous les côtés, sortez les morceaux et réservez. Jetez le gras de cuisson.
Disposez les tranches de lard au fond de la cocotte.
Placez la viande par-dessus. Arrosez du vin blanc et du bouillon.
Ajoutez le laurier et laissez mijoter à feu doux, à couvert, pendant 1 heure.
Ajoutez les carottes et les oignons finement hachés.
Salez et poivrez. Laissez mijoter de nouveau 1 heure.
Au moment de servir, parsemez de persil.

Ingrédients

1,5 k (3 lb) d'épaule de bœuf en cubes de grosseur moyenne
3 tranches de lard salé
1,5 kg (3 lb) de carottes
2 oignons
2 feuilles de laurier
250 ml (1 tasse) de vin blanc sec
250 ml (1 tasse) de bouillon de bœuf
30 ml (2 c. à soupe) de persil haché
Huile d'olive
Sel et poivre

Poulet aux pommes en croûte de sel

Pain de viande en croûte

Préchauffez le four à 350 °F (180 °C).

Faites revenir l'oignon et l'ail dans l'huile d'olive jusqu'à ce que l'oignon soit transparent. Dans un grand bol, mélangez au reste des ingrédients, sauf la pâte feuilletée et l'œuf battu.

Mettez la préparation dans un moule à pain et faites cuire au four 1 heure ou jusqu'à ce qu'un couteau, inséré au centre, en ressorte chaud. Laissez tiédir 1 heure. Démoulez dans un plat plus grand afin que le gras puisse s'écouler. Retirez le gras et réfrigérez le pain 1 heure. Abaissez la pâte froide (tiède elle se travaille difficilement) sur une surface enfarinée, jusqu'à obtenir un rectangle assez grand pour envelopper le pain de viande. Déposez le pain de viande au centre de l'abaisse et enveloppez-le comme un paquet. Sceller les extrémités avec de l'œuf battu. Retournez le tout sur une plaque graissée et badigeonnez d'œuf battu. Faites cuire au four à 375 °F (190 °C) 30 minutes ou jusqu'à ce que la pâte soit dorée.

Servez chaud ou froid, accompagné de marinades.

Ingrédients

1 gros oignon, haché

1 gousse d'ail, hachée

2 c. à soupe d'huile d'olive

1 kg (2 lb) de viandes hachées mélangées : porc, agneau, bœuf

1 c. à thé de sauge

1 c. à thé de marjolaine

Sel et poivre du moulin

3 œufs

3 tranches de pain de seigle frais, écroûté et coupé en petits morceaux

25 ml (1/2 tasse) de lait

Pâte feuilletée congelée du commerce, dégelée

1 œuf battu

Poulet aux pommes en croûte de sel

Préchauffez le four à 350 °F (180 °C).

Pelez les pommes et coupez-les en quartiers. Épluchez l'oignon et émincez-le. Salez et poivrez l'intérieur du poulet. Introduisez-y les pommes, l'oignon et le thym. Dans un grand bol, mélangez la farine et le sel. Ajoutez 50 ml (1/4 tasse) d'eau froide. Pétrissez bien afin d'obtenir une pâte homogène. Étalez la pâte sur une planche et déposez le poulet par-dessus. Ramenez les côtés de la pâte afin d'en recouvrir entièrement le poulet. Prenez bien soin que le poulet soit enveloppé de manière hermétique. Enfournez et laissez cuire 1 h 30. Sortez le poulet du four et brisez la croûte, qui sera devenue très dure.

Ingrédients

1 gros poulet

1 kg de farine

500 g de gros sel

1 oignon

2 pommes

1 bouquet de thym

Beurre

Sel et poivre

Ingrédients

4 c. à soupe d'huile d'olive

1 gros oignon espagnol, haché

1 c. à soupe de basilic séché

1 kg (2 lb) de cubes d'épaule de veau

2 poivrons rouges, parés et coupés
en lanières

3 grosses tomates, pelées, égrenées
et coupées en morceaux

125 ml (1/2 tasse) de vin blanc

Sel et poivre du moulin

Sauté de veau
à la méditerranéenne

Dans une cocotte, faites chauffer 2 c. à soupe d'huile. Faites-y revenir
l'oignon avec la moitié du basilic, jusqu'à ramollissement.

Dans une poêle, faites dorer les cubes de veau dans 2 c. à soupe d'huile.
Égouttez-les et mettez-les dans la cocotte.

Dans la même poêle, faites revenir les lanières de poivrons. Mettez-les dans
la cocotte. Incorporez le reste de basilic et les tomates.

Versez le vin blanc, salez et poivrez. Couvrez et laissez mijoter 1 heure ou
jusqu'à ce que la viande soit tendre et que le liquide et les légumes aient la
consistance d'une sauce épaisse.

5. Remuez et servez.

Ingrédients

2 c. à soupe de feuilles de romarin
+ 3 tiges, coupées en morceaux

2 c. à soupe de feuilles de thym
+ 6 tiges

65 ml (1/4 tasse) d'huile d'olive

1 rôti de veau de 10 kg (5 lb)

Sel et poivre noir du moulin

6 c. à soupe de beurre, coupé
en 6 morceaux

24 gousses d'ail, dégermées et
écrasées

Mijoté de veau
à la provençale

Dans un petit bol, mélangez les feuilles de romarin et de thym avec
2 c. à soupe d'huile.

Mettez le veau dans un plat en verre. Badigeonnez de préparation romarin-
thym-huile. Couvrez et réfrigérez 2 heures ou une nuit.

Avant cuisson, retirez la viande du réfrigérateur et laissez-la à température
ambiante 1 heure. Préchauffez le four à 350 °F (180 °C).

Saler et poivrez le veau. Dans une cocotte, faites chauffer le reste de l'huile et
faites-y dorer la viande, sur feu élevé. Retirez du feu.

Disposez les tiges de romarin et de thym sur le dessus et parsemez de
noisettes de beurre. Entourez de gousses d'ail. Faites cuire au four 1 heure ou
jusqu'à tendreté de la viande, en arrosant de jus de cuisson, de temps
à autre. Retirez du four et laissez reposer 10 minutes. Tranchez la viande et
disposez-la dans une assiette de service. Entourez d'ail et nappez de sauce.

Mijoté de veau à la provençale

Index